# Fantasy+

① Les plus belles réalisations des artistes infographistes chinois

Vincent Zhao

CYPI PRESS

# Sommaire

# Préface

# Fantasy+

*Vincent Zhao*

Alors que je réfléchissais au titre de cette collection, il m'est revenu d'un coup à l'esprit une question que posaient beaucoup de gens il y a des années de cela : « Mais quand la fantasy se décidera-t-elle à aller de l'avant ? »

Il me semble que la fantasy doit être prise plus comme une notion culturelle et spirituelle élargie que comme un terme technique au sens limité. Et ce n'est que quand nous arrêterons de disserter avec nostalgie sur son passé que la fantasy pourra s'embarquer pour un futur illimité.

L'illustration est un art qui permet à l'imagination de s'exprimer avec efficacité et en grand. Il est possible que vous n'ayez pas sous la main les gouges ou l'argile nécessaires pour sculpter un buste, ni les voitures ou les équipiers pour courir un rallye, ni assez d'argent pour tourner un film. Mais vous avez sûrement eu un coin de bureau et les marges de vos cahiers pour gribouiller quand vous étiez enfant. Chacun peut décider lui-même des thèmes de ses dessins et des outils qu'il utilisera pour les réaliser. Et la multiplication des techniques permet aujourd'hui à l'artiste d'exprimer à peu près tout ce que son imagination débordante lui inspire.

Par ailleurs l'illustration a l'avantage d'être beaucoup plus transculturelle que le langage. Et si l'on veut distinguer l'art graphique de la peinture classique et des formes d'art modernes, on peut utiliser l'expression d'« illustration commerciale », qui permet d'inclure des catégories aussi diverses que l'illustration de livres, la réalisation d'affiches, la bande dessinée, l'animation de jeux vidéo, le concept design et le matte painting. Toutefois, petit à petit, les techniques manuelles et les technologies émergentes de l'infographie se mélangent et se complétent l'une l'autre. Elles ne se remplacent pas, elles s'enrichissent mutuellement.

Frank Frazetta a maintenant 80 ans. Aussi âgé que la fantasy elle-même, il lui donne du poids par son prestige et ses réalisations. Au cours des dernières décennies, il est devenu un véritable phare pour ses collègues, et son influence sur des générations d'artistes a été telle que plusieurs dizaines d'entre eux, venus d'horizons artistiques et géographiques très divers, ont collaboré au numéro d'ImagineFX qui lui a été consacré en mars 2008 à l'occasion de son quatre-vingtième anniversaire. Intitulé The Frazetta Issue, ce dernier reproduisait également nombre de ses œuvres inspirées. Après tout, la fantasy ne s'arrête jamais, pas plus pour un individu que pour un moyen d'expression spécifique. Les brillants artistes dont les cohortes rendent hommage à ce héros intemporel sont eux-mêmes devenus des « Frazettas » aux yeux des passionnés de fantasy du moment. Citons des légendes comme Boris Vallejo, Luis Royo et Alan Lee ; Donato Giancola, Todd Lockwood et Tom Kidd, qui continuent année après année à porter haut l'art de l'illustration à la main ; Gerald Brom, le regretté Zdzislaw Beksinski et Phil Hill, dont les étoiles descendantes illuminent toujours les aficionados ; Craig Mullins, Ryan Church et Steven Stahlberg, au sommet de l'art numérique naissant au moment où ils ont entamé leur carrière dans la fantasy ; Justin Sweet, Jon Foster et Andrew Jones, les plus beaux fleurons de leur génération, chacun à la fois porteur de solides traditions artistiques et pionnier de l'image de synthèse ; James Jean, Daniel Dociu et Aleksi Briclot, à l'origine de la passion créatrice de leurs contemporains et jamais très loin des principaux prix ces dernières années. Aucun doute, cette industrie va de l'avant, encore et toujours.

C'est pourquoi la trilogie Fantasy + pourrait bien perdre sa connotation « positive » si le « + » n'y figurait rien de plus qu'une sorte de suite ou d'ajout. Ici, la capitale initiale de Fantasy vient symboliser quelque chose de l'esprit, et ce que nous cherchons à travers ce livre, ce sont les traces du développement et du progrès.

Il s'ensuit que ce que vous avez entre les mains n'est pas un lot d'albums illustrés, qui, s'ils étaient probablement plus faciles à réaliser, seraient forcément incapables d'exprimer notre pensée plus avant. Nous avons pris contact avec certains des auteurs les plus représentatifs et nous avons discuté avec eux de l'actualité de l'art de l'illustration commerciale. Nos discussions ont essentiellement porté sur leur travail et leur vie au cours des dernières années, leur vision actuelle de cette industrie et ce qu'ils ont imaginé sans le publier. Nous nous sommes attachés à maintenir un certain équilibre entre texte et image, chaque volume contenant environ deux cents illustrations choisies avec soin. Le rapport entre fantasy et progrès est défini artiste par artiste et j'espère que cette approche facilitera la transmission de notre vision des choses.

Le premier ouvrage de la série, Les plus belles réalisations des artistes infographistes chinois, est à part, comme une collection des plus grandes œuvres que nous livre cette culture à l'heure actuelle. Bien que le secteur de l'illustration commerciale en Chine produise nombre de travaux de qualité médiocre, dont certains ne tiennent absolument pas la route, les vrais artistes ont une vision beaucoup plus pure. Ceux dont nous proposons ici les œuvres sont si respectueux de la dignité des sujets qu'ils abordent que je n'ai eu d'autre choix que de renoncer aux commentaires incendiaires que je me préparais à formuler sur l'état actuel de cette industrie. Leur travail est vraiment émouvant. Ces artistes ont une aura internationale et leur réussite est bien connue, c'est pourquoi mon texte porte plus souvent sur leurs côtés les plus pittoresques et sur les œuvres elles-mêmes.

Les meilleures illustrations à la main reflète mon espoir de parvenir à familiariser les lecteurs avec ceux des maîtres de la fantasy qui persistent à tendre leurs toiles et à mélanger leurs pigments eux-mêmes. Il faut noter que, dans un monde commercial où tout se précipite, ces artistes se retrouvent souvent à s'adapter au goût du jour. Tout en jouant sur la référence aux anciens et sur les figures imposées, ils prennent leurs distances avec les thèmes d'origine de la fantasy illustrée, où se mélangeaient étroitement la force et la violence physiques. C'est pourquoi se révèlent désormais à nos yeux des images magnifiques aux dimensions multiples qui sont bien souvent de véritables œuvres d'art.

Les plus belles réalisations des artistes infographistes présente l'interprétation la plus complète et la plus actuelle de l'impact de la technologie numérique sur l'art. Cette forme d'art multidimensionnelle est étroitement liée aux industries du film et du jeu vidéo et offre aux metteurs en scène comme aux game designers le moyen le plus efficace qui soit de réaliser leur imaginaire. On peut dire sans risquer de se tromper que l'essor de l'infographie va amener de plus en plus de gens au monde de l'art, et que, les artistes ayant un public accru, l'illustration commerciale va nous offrir une production de grande qualité.

Nous pensons que la trilogie Fantasy + répondra à vos attentes et que les imaginaires qu'elles donnent à voir grandiront avec vous.

Taiwei Bi (Bullet)

Nom : Taiwei Bi (Bullet)
Profession : illustrateur indépendant, dessinateur de bandes dessinées, directeur artistique
Site Web : http://www.cgplayer.com

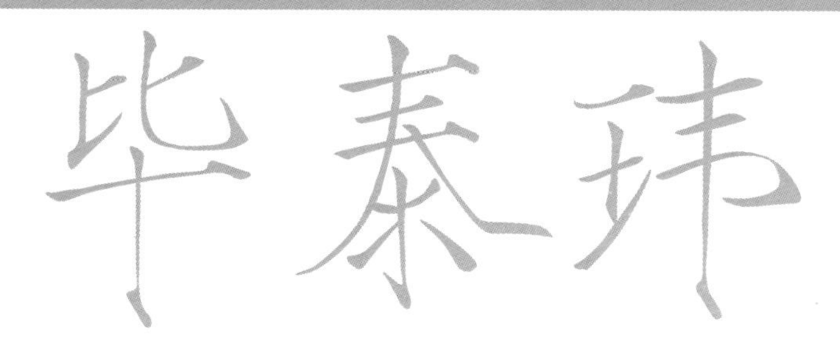

# Le rêveur

## Un entretien exceptionnel avec Taiwei Bi, illustrateur

Les illustrateurs spécialistes du rêve, les artistes du monde de l'illusion et les professionnels de l'imaginaire sont tous des rêveurs.
Taiwei Bi travaille à une nouvelle collection, « Rêves d'illustrateur », qui s'inspire de ses réflexions sur l'art et de son parcours artistique. Le thème des rêves ne le quitte quasiment jamais. Pour faire simple, ce sont les rapports entre les images et leur environnement qui rappellent la structure des rêves. L'objectif de Bi est ici de propulser sur la voie de la réussite les milliers d'illustrateurs que les rêves habitent.
Eh oui ! Il faut bien ramener les rêveurs à la réalité, soit en les mettant dans un certain état d'esprit, soit en introduisant une technique particulière. Ce que fait Bi est vraiment important. Et ce n'est que maintenant que je comprends vraiment ses personnages. Ce sont tout bonnement des rêveurs.

## Entretien

***-- À quoi travaillez-vous en ce moment ?***

-- À mon nouveau livre, le deuxième volume de la collection « Rêves d'illustrateur ». Y figurent des explications détaillées sur comment réaliser des illustrations professionnelles, ou, plus précisément, sur comment faire pour qu'elles soient publiées. Le rêve a toujours été le thème de mon travail. C'est un mot à multiples facettes : pour un débutant, le rêve c'est de devenir illustrateur professionnel ; mais pour un vétéran qui a roulé sa bosse dans ce milieu, créer des illustrations relève aussi du rêve, dans le sens où maintenir le cap est parfois très difficile. Nombreux sont les professionnels qui se battent pour leurs rêves. Et je pense que quiconque se bat pour ses rêves mérite le respect.

***-- Il semble que ces dernières années toutes vos œuvres soient liées à la fantasy. Comment cela s'est-il fait ? Ou plutôt comment ces rêves-là se sont-ils formés ?***

-- Tout mon travail n'est pas basé sur la fantasy. Vous avez probablement l'impression que tout ce qu'on en trouve sur Internet relève de la fantasy. Mais en fait je fais beaucoup d'autres choses, comme des bandes dessinées ou des illustrations commerciales, qui ont pour point de départ les petites choses de la vie quotidienne. Je traite chaque illustration avec sérieux, un sérieux qui est devenu, je m'en rends compte maintenant, ma marque de fabrique. J'adore les classiques et je crois que, quelle que soit la façon dont le monde évolue, notre amour de la vie et notre quête de la vérité restent inchangés. Et c'est ça que j'essaie de transmettre. Bien sûr, mon style vient de mes propres traditions culturelles ; ce sont elles qui m'ont fait ce que je suis aujourd'hui.

❶ La fuyarde

❷ La fille et le dragon

❸ L'oiseau de nuit

❹ Robot

***-- Vous formez des débutants, qui bien sûr lisent vos livres et aspirent à suivre vos traces. Mais que voudriez-vous qu'ils apprennent ?***

-- J'aimerais qu'ils sachent que l'illustration est un travail difficile. Si on le fait, c'est parce qu'on aime ça, et, bien qu'il y ait moyen de faire de l'argent dans ce métier, il faut du temps et de la réussite avant que ça n'arrive. Le travail artistique est un miroir de l'âme et les valeurs positives qu'on y insuffle s'y reflètent. Ce n'est que lorsque l'artiste traite son œuvre avec respect que les lecteurs s'y intéressent.

***-- Quel était votre rêve quand vous étiez jeune ? Où en êtes-vous de sa réalisation ?***

-- Quand j'étais au lycée, j'avais un rêve très clair, devenir illustrateur professionnel. À dire vrai, ce rêve est devenu réalité. Mon rêve, maintenant, c'est de voyager et de séjourner à plusieurs endroits différents chaque année. Mais, pour de nombreuses raisons, je n'y parviens que rarement.

❺ Le monstre de l'arbre

❻ La reine

❼ Planche tirée de L'Ile

KRAA
HAAAHoo
56
街

8

9

10

❽ Le voyageur égaré

❾ En danger

❿ Les corbeaux

⓫ Le veilleur de nuit

12

⓬ Les jumelles

⓭ La sauterelle

Wei Chen ( Lorland )

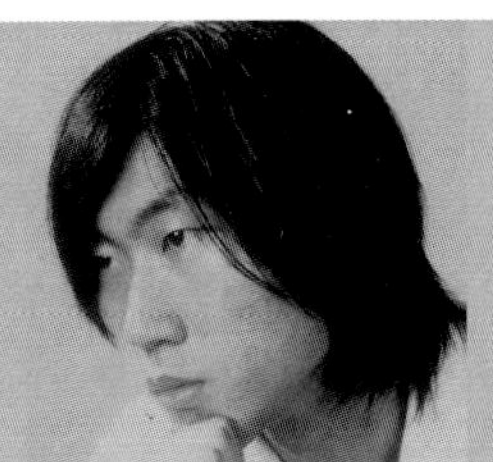

**Nom : Wei Chen (Lorland)**
**Profession : fondateur et directeur de FlowerCity Art Studio**
**Blog : http://flowercity.ppzz.net**

# La Beauté selon Wei

## Un entretien exceptionnel avec Wei Chen, illustrateur

Le thème récurrent des œuvres de Wei Chen est la Beauté, la quête sans fin de la perfection dans la tradition et la fantasy. Les visages fleurs des esprits, les robes de plumes des fées, les tuniques de soie des prêtres et les profils de la déesse : toutes et tous sont enluminés des couleurs les plus chatoyantes et illuminés par « la Beauté selon Wei ». Chez Chen des montagnes et des fleuves de poésie cohabitent avec des forêts d'art et ce « paysage » est partie intégrante de ce qu'il a créé avec le FlowerCity Art Studio.
Toujours splendide et colorée, l'œuvre de Chen caractérise l'esprit de « la Beauté selon Wei » et donc les créations de fantasy les plus passionnantes de la communauté infographiste de Chine.

## Entretien

***-- Le style de vos œuvres reflète toujours une quête de la beauté et de la perfection, qui semblent constituer le thème central de vos créations. Qu'en est-il exactement ?***
-- Il suffit de s'être un peu intéressé à la psychologie de l'esthétique pour s'apercevoir que les formes d'art classiques illustrent les désirs primordiaux de l'homme et sa recherche de la beauté. Ma propre quête artistique est liée par essence au maintien de ces besoins sociaux et historiques. C'est pourquoi, contrairement à la production des artistes dans le vent, mes créations ont peu de chance de gagner l'admiration du public.

***-- Vous représentez essentiellement des personnages féminins. Pourquoi ? Pensez-vous que c'est le meilleur moyen de mettre en avant vos intentions créatrices ?***
-- Je dirais que mes œuvres reflètent mes intérêts artistiques personnels. Ceux qui m'ont rencontré ont en général beaucoup de mal à associer ma personne à mon travail et, paradoxalement, beaucoup d'étrangers, qui ne m'ont jamais vu, pensent que je suis une femme. Certes, mes illustrations sont d'inspiration classique, mais je n'aime pas beaucoup le classicisme dit « pur » ; je suis plus porté vers le néoclassicisme et le romantisme. C'est pour cela que mes travaux renvoient au romantisme, ou, si vous préférez, à la fantasy. Je représente surtout des femmes, mais j'ai à mon actif depuis peu quelques personnages vraiment masculins. La vérité, c'est qu'aucun illustrateur n'est parfait dans tous les domaines et que c'est seulement lorsqu'il en a assez de traiter les mêmes thèmes et d'utiliser les mêmes techniques qu'il se décide à essayer autre chose.

***-- Quel était votre rêve quand vous étiez jeune ? Et où en êtes-vous de sa réalisation ?***
-- En ce moment, je travaille dur à être le meilleur professeur d'infographie de Chine. Mon rêve d'enfant était d'enseigner, et aujourd'hui, je suis un professeur d'université reconnu, j'ai mon propre studio et mes propres étudiants. Je pense que je ne suis pas loin d'avoir atteint mon but.

❶ Tendre printemps

3

4

❷ La mélancolie

❸ La Walkyrie

❹ Faucon marcheur et sa cavalière

❺ La Walkyrie triste

❻ Athanasie

❼ La grue

9

10

❽ La guirlande fanée

❾ La lanterne

❿ La déesse de l'opéra

11
12
13
14

15

⓫ La corne d'abondance

⓬ L'apocalypse

⓭ Le jugement

⓮ L'opéra industriel de Pékin

⓯ La reine sainte

Minhao Feng

Nom : Minhao Feng
Profession : illustrateur indépendant
Blog : http://blog.sina.com.cn/u/1256629024

冯旻皓

# Le roi et le prince

## Un entretien exceptionnel avec Minhao Feng, illustrateur indépendant

Les univers grandioses conçus par des artistes en vue comme Craig Mullins et Andy Park suscitent à tout coup des exclamations enthousiastes et ne manquent jamais de leur valoir le surnom de « rois du décor ». Feng s'est autoproclamé « prince du décor » et il nous arrive d'en plaisanter en remarquant qu'après tout le roi est un cran au-dessus du prince. Évidemment, c'est de la hiérarchie du pouvoir que nous nous moquons, mais il n'y a pas que ça. Bien qu'en général le prince suive les instructions du roi, qui lui-même peut se voir imposer des limites d'une manière ou d'une autre, notre prince à nous jouit d'une totale liberté. Feng se croit né pour devenir un artiste de décor et son amour des animaux et de la nature ajoute une touche d'élégance et de grâce à ses scènes idylliques. Peut-être les illustrations des rois sont-elles « à couper le souffle », mais dans le jardin de notre prince on peut se promener en toute quiétude. Reprenant des contes célèbres comme Le Prince errant, ses œuvres font défiler une vie nouvelle, dont la beauté est aussi impressionnante pour l'observateur qu'elle l'est pour lui, le jardinier indépendant.

## Entretien

***-- Vous avez consacré beaucoup d'efforts à l'illustration de décor et il semble que la plupart de vos personnages se soient transformés en paysages, en quelque chose d'ornemental. Comment cela se fait-il ?***

-- C'est parce que j'aime la nature beaucoup plus que les autres et que la première fois que je suis tombé sur ces jeux en animation , j'ai été fasciné par leur monde parallèle empli des imaginaires les plus fous. Après tout, les personnages ne sont qu'un des éléments de la nature, et je n'ai pas envie de leur consacrer trop d'encre.

***-- D'après vous, quelle impression l'observateur retient-il d'un bon décor ?***

-- Je pense qu'un bon décor doit avoir un impact visuel important sur le spectateur et lui donner l'illusion que ce qu'il a sous les yeux est réel. Il me semble que ce qui ressort d'une illustration exceptionnelle, c'est d'abord une bonne idée, d'où viendra une esquisse conceptuelle adaptée. Atmosphère et ambiance sont tout aussi importantes. Vient enfin la réalisation détaillée de l'illustration, qui se doit d'être aussi frappante qu'intéressante.

❶ La ville du dieu géant

***-- Quelles sont vos œuvres préférées ? Y a-t-il des artistes en particulier dont les décors vous ont influencé plus que d'autres ? Les couleurs de certains de vos travaux rappellent celles de Makoto Shinkai. Vous aimez son travail d'animation ?***

-- Il y a de nombreux illustrateurs de décor que j'aime, comme Craig Mullins, Mark Goerner et James Clyne, pour ne citer qu'eux. Makoto Shinkai est bien sûr parmi ceux que je respecte le plus. Il a le talent rare qui consiste à réaliser, à partir de petites scènes quotidiennes, de brillantes compositions où action et décor se répondent à merveille, où l'atmosphère de l'histoire est parfaitement rendue pour créer l'émotion du spectateur.

❷ Juillet flamboyant

❸ Les couleurs du souvenir

❹ Un long voyage

***-- Quel était votre rêve quand vous étiez jeune ? Et où en êtes-vous de sa réalisation ?***
-- Et bien [rires], je rêvais d'être biologiste, musicien, dessinateur de BD ou de mangas, romancier, game designer, milliardaire, etc. En grandissant, je me suis rendu compte qu'il n'était pas évident de réaliser tous ces rêves, ou plutôt que je n'étais pas béni des dieux. Pour moi, « fantasy » n'est pas un nom mais un verbe d'action. Et tous ces rêves m'accompagnent ; mieux, ils m'aident à avancer.

❺ Scprjomg City ❻ Le sanctuaire ❼ Combat

6

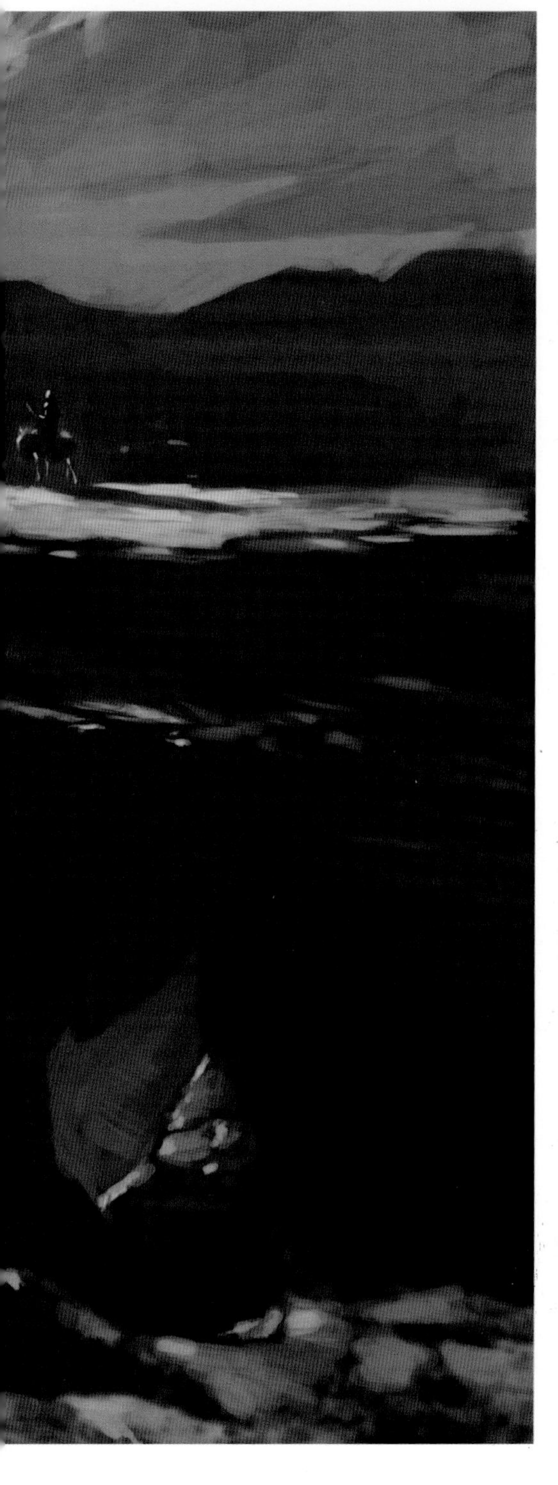

7

❽ Printemps

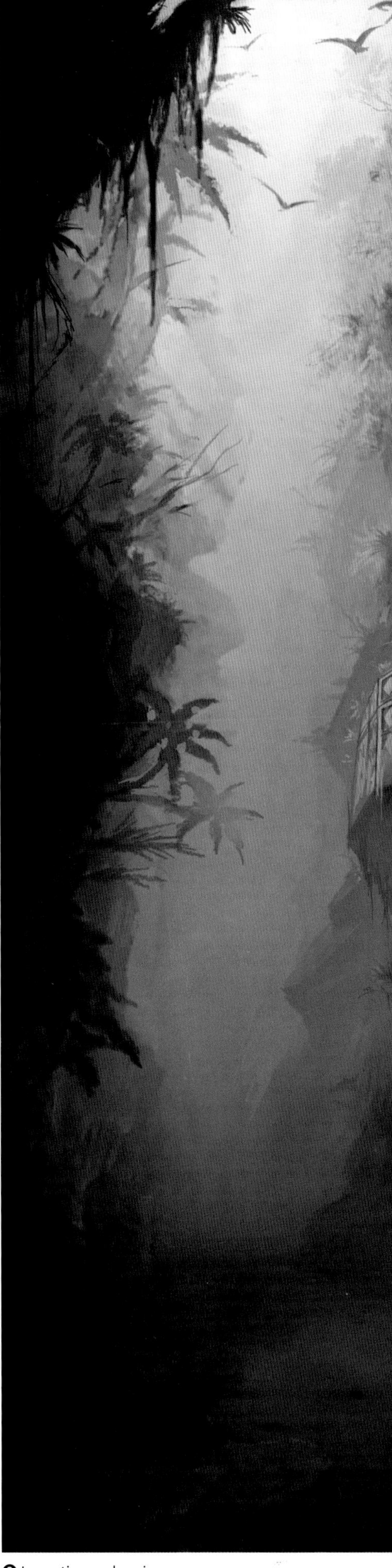

❾ Le vestige endormi

9

10

⑩ Lune fatale

11

12

⓫ Sur la route

⓬ Gare centrale

⓭ Carrefour

⓮ Un nouveau commencement

13

14

Dehong Ho

Nom : Dehong Ho
Profession : directeur artistique chez Redeye Studio Pte Ltd.

# Nouveau départ

## Un entretien exceptionnel avec Dehong Ho, concept designer de jeux vidéo

Comme nous avons débuté notre dernière interview de Dehong Ho en lui parlant de The Journey et que ça s'est avéré une bonne idée, il nous a paru judicieux de faire de même cette fois-ci.

Peu après ce dernier entretien, Ho s'est lancé dans une véritable expédition, dans une expérience qui nous dépasse. Revenu à l'industrie du jeu vidéo, il était prêt à essayer quelque chose d'entièrement nouveau et, le marché chinois de la sous-traitance croissant rapidement, il a rejoint une société de Singapour. Mais tout cela ne vous surprendra pas si vous connaissez le parcours récent de Ho : ces dernières années, nombre de ses œuvres ont trouvé leur place dans des collections publiées par des éditeurs étrangers et il est devenu mondialement célèbre. Les industries du jeu vidéo et du cinéma ne connaissent pas de frontières. Dans le monde de l'art commercial, l'interaction graphique prend le pas sur la communication verbale.

Voilà pourquoi Ho a tout naturellement trouvé sa place dans l'industrie du jeu vidéo singapourienne en rejoignant Redeye Studio. S'adaptant au changement tant personnel que professionnel, il a rapidement changé de rôle, délaissant celui de spécialiste des personnages pour se consacrer à l'illustration de décor. Et ses décors récents pour The Journey sont tout aussi impressionnants que les personnages qu'il dessinait auparavant. Malheureusement, pour des problèmes de copyright, il ne peut nous montrer le résultat de son travail avant que les jeux ne soient publiés.

## Entretien

***-- Singapour possède-t-elle ses propres traditions culturelles ? Et quels en sont les éléments que vous êtes prêt à intégrer à vos œuvres ?***

-- Avant de devenir indépendante, Singapour a appartenu à l'Empire britannique, puis à la Malaisie. Sa population est essentiellement chinoise. Paradoxalement, nombre de traditions passées de mode en Chine y restent vivaces. D'un autre côté, c'est un véritable melting pot de nationalités et de cultures. Nos jeux sont basés sur l'idée d'une Singapour imaginaire détruite dans un futur lointain par des démons et des monstres. Les joueurs verront comment les ogres de l'Occident se joignent aux diables de l'Orient pour prendre le contrôle d'un monde multiculturel où pagodes chinoises et temples indiens cohabitent dans des rues à l'européenne.

***-- Aujourd'hui, nombreux sont les auteurs chinois qui vous portent aux nues et vous prennent pour modèle. Ils aimeraient bien voir plus de vos œuvres personnelles.***

-- Et bien [rires], je suis toujours reconnaissant à mes amis et à mes fans de leur soutien. Pour moi, cette année est celle de tous les changements. Mais peu d'œuvres publiées ne veut pas dire peu d'œuvres réalisées. Le problème, c'est que j'ai été très pris par mon emploi du temps et qu'en raison de problèmes de copyright certaines de mes œuvres ne sont pas en ligne pour l'instant. Mais je peux vous assurer qu'un de ces jours je me dresserai hors de cet océan de silence avec toutes mes nouvelles créations.

❶ La guerre du futur

2

***-- Et quels sont vos plans pour l'avenir ?***

-- Et bien, j'ai envisagé le cinéma, mais je ne suis pas sûr de prendre ce chemin-là.

***-- Aviez-vous un rêve particulier quand vous étiez jeune ? Et où en êtes-vous de sa réalisation ?***

-- Oui, mon rêve était de créer un monde complètement différent de tout ce que nous avons jamais connu, un monde où des coursiers célestes fusent à travers le ciel, un monde parallèle où on peut s'immerger vraiment dans un royaume de fantasy. Et pour le réaliser, on a besoin de moyens créatifs comme l'illustration, la bande dessinée, le jeu vidéo et le cinéma. On en est loin, non ?

3

4

❷ Le chaos

❸ Abstinence

❹ Couverture d'IFX

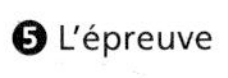

❺ L'épreuve

❻ La colère de Poséidon

8

9

10

❼ Final 2
❽ La guerre terminale
❾ Pharaon
❿ Thor

11

⓫ La traversée

Jiawei Huang (HJW1983)

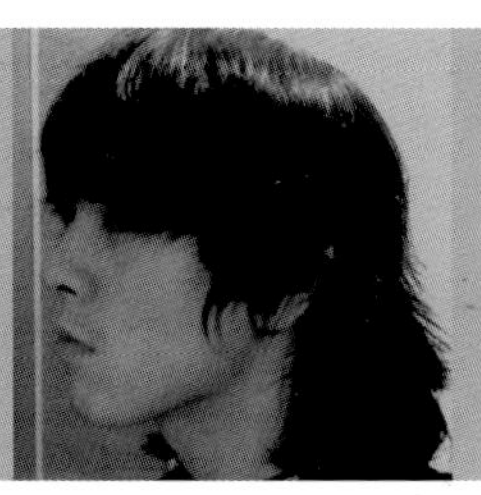

Nom : Jiawei Huang (HJW1983)
Profession : dessinateur de bande dessinée
Site Web : http://baobaos.com/blog/xxx/HJW1983/index.html

# Le roi de la rue

## Un entretien exceptionnel avec Jiawei Huang, dessinateur de BD indépendant

Quelle que soit l'image que Jiawei Huang Huang ait de ses propres œuvres, il me semble parler au nom de beaucoup d'entre nous en lui disant : « Nous vous sommes reconnaissants de continuer à dessiner des BD. »
La BD chinoise actuelle est si pauvre en général que c'est une perte de temps d'en parler. La frustration qu'elle engendre ne peut être qu'accrue par le fait que des BD ou des mangas de la qualité du Ya San de Huang sont aujourd'hui si rares. Heureusement pour nous, les illustrations qu'il réalise pour ses amis et les créations de ses collègues sont impressionnantes. Très généreux, audacieux et parfois même extrêmement impulsif, Huang, comme tous les vrais artistes, dit ce qu'il pense. Il est d'une franchise déconcertante, admettant tout de go que l'argent est essentiel à son travail et à une vie épanouie. On peut sans se tromper le présenter comme un roi de la rue épris de liberté et indiscipliné, qui sait rester son propre maître sur le chemin qui le conduit aux sommets de l'art.
Nous lui sommes reconnaissants de continuer à dessiner des BD et à ridiculiser le monde sans épaisseur de la BD chinoise. Nous le remercions de son œuvre puissante, qui ne manque jamais de nous pousser à nous battre avec nous-mêmes.

## Entretien

***-- La couleur et la texture de vos BD ont quelque chose d'unique. Dites-nous en plus sur votre approche et votre style ?***

-- Je souffre d'une faiblesse chromatique partielle et je dois donc mémoriser toutes les couleurs, par exemple celles à utiliser pour que l'ombre soit assortie. Bien sûr, je n'utilise pas de rouge sombre car il éteint les images. Pour faire simple, j'utilise toute couleur qui contraste avec le rouge et qui en même temps me paraît bien. J'ai toujours assorti les couleurs et tenté d'utiliser les moins réalistes sur mes images. Quant aux textures, je m'efforce toujours d'en créer d'originales, car j'adore travailler les détails, comme par exemple un rendu de la rouille, sur une esquisse crayonnée.

***-- Dans quelle mesure l'infographie vous aide-t-elle ? Et quels sont les logiciels que vous utilisez le plus ?***

-- L'infographie est vraiment utile pour appliquer les couleurs. À l'université, ma matière principale était la sculpture et j'avais peu d'occasions de les utiliser, ce qui fait que maintenant j'utilise en général l'infographie pour les assortir. Sinon, je m'en sers peu. Je consacre l'essentiel de mon temps à crayonner. Je sais que c'est ça que je dois exploiter à fond car je le fais vraiment bien. C'est OC que j'utilise le plus ; on peut le télécharger gratuitement sur le site PooBBS.

1

❶ Démon

❷ Le super-roi de la rue

❸ Le roi de la rue

❹ Hellboy

❺ Couverture de Ya San

❻ Chasseur

***-- Vous avez dit que vous aimiez les histoires sérieuses, mais quand on vous écoute, on a l'impression que vous n'êtes pas si sérieux que ça [rires] !***

-- En général, je suis le jeu de mes émotions, et il m'arrive de sombrer dans une humeur sérieuse. Je ne suis pas un boute-en-train. Je ne dessine jamais de BD sérieuse sans histoire sérieuse derrière. Certains me prendront pour un poseur, mais c'est mon style, c'est tout.

***-- Vous avez parlé du bonheur. C'est quoi le bonheur pour vous ?***

-- Pour moi, le bonheur, c'est la santé, pour tous les membres de ma famille. Je veux une vie stylée aussi, mais je ne suis pas né pour faire fortune. Pas trop chaque mois, juste ce qu'il faut. Pour l'instant, ce dont je profite le plus, c'est la liberté, et ça aussi c'est très important.

***-- Quel était votre rêve quand vous étiez jeune ? Et où en êtes-vous de sa réalisation ?***

-- J'en suis encore bien loin. Mais mon rêve n'est pas de dessiner. Je n'ai aucune chance de devenir un fantastique mangaka ou un fabuleux dessinateur de BD, et je ne crois pas que le dessin soit toute ma vie. C'est mon boulot, voilà. Tout le monde a un boulot, et c'est agréable de bien le faire. J'espère que j'aurai un compte en banque bien garni au moment de la retraite, afin de la passer à donner. Mon rêve, c'est vraiment ça.

❼ Roi

❽ Walkyrie

❾ Chevalier

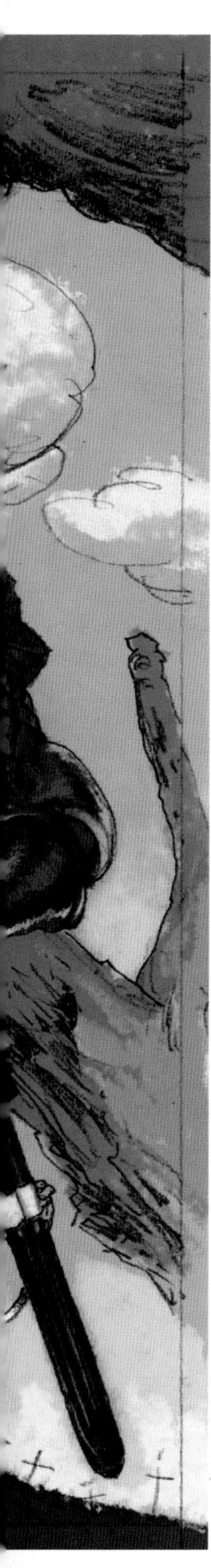

⑩ Monstre 1+2  ⑪ Printemps  ⑫ À cheval

12

Kai Lee

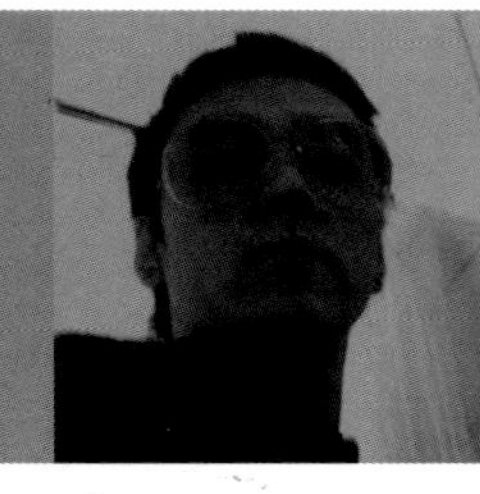

Nom : Kai Lee
Profession : concept designer de jeux vidéo, illustrateur indépendant, directeur artistique décors
Blog : http://blog.sina.com.cn/fuckorange

李凯

# Les émotions d'Orange

## Un entretien exceptionnel avec Kai Lee, concept artist pour les jeux vidéos

Ces derniers temps, Kai Lee perd la mémoire. En plus, il a des problèmes émotionnels.
Si vous tombez sur lui dans un moment de ce genre, vous êtes censé déterminer si le problème est d'ordre personnel ou émotionnel. Mais, dans un cas comme dans l'autre, Lee ne pose jamais sa brosse — chose assez curieuse chez un artiste. Les chorégraphies de Dancer in the Dark il y a quelque temps étaient aussi merveilleuses que ses illustrations de Monkey Creates Havoc in Heaven sont aujourd'hui subversives et chargées. Et ses nouvelles créations sont magnifiques. Sachant que Lee est toujours à la hauteur de sa réputation, nous attendons avec impatience ses nouveaux dessins pour la collection du « Singe ».
Ceci dit, quand notre Orange est dans un de ses jours, il ne faut pas rater ça !

## Entretien

1

❶ Le roi singe 1

***-- Qu'essayez-vous de dire à travers vos illustrations ? Elles semblent plus personnelles que commerciales.***

-- Une méthode on ne peut plus directe, des formes on ne peut plus classiques et des couleurs on ne peut plus basiques, le tout lié par un formidable enthousiasme. Les grandes œuvres sont filles du cœur et de l'âme. J'espère que c'est le cas des miennes et que, même si elles ne sont pas parfaites, elles sont capables de vous toucher à leur façon.

***-- Comment considérez-vous les œuvres d'art personnelles ?***

-- Pour moi, dessiner est juste un moyen de me déstresser en finissant tous ces travaux tard dans la nuit. Je préfère ça au sommeil. Et il me semble que ça résout tous mes problèmes.

***-- Vous avez l'air d'aimer travailler sur des séries, comme par exemple la série Dancer in the Dark il y a quelque temps, mais le style de Monkey Creates Havoc in Heaven est très différent. Pourquoi et comment ce changement s'est-il produit ?***

-- Les œuvres en séries sont en général plus impressionnantes, elles maintiennent le lecteur en haleine, ont plus d'éléments accrocheurs, des histoires plus riches et font appel à des techniques de plus en plus sophistiquées. De toutes les légendes du Voyage en Occident, celle du roi singe est ma préférée et j'ai revécu ses aventures à ma façon. Pour améliorer encore ce personnage culotté et rebelle, je vais continuer la série.

***-- Quand un artiste met au point un concept, il sait en général où il veut aller et suit des principes précis. Et vous ?***

-- Je pense que le plus difficile pour un designer, c'est de montrer au public ce qu'il y a derrière les personnages, comme ce qu'ils ont vécu, leur personnalité et leur monde intérieur. Un meurtrier de sang-froid peut s'avérer père aimant, un héros flamboyant se retrouver couvert de honte. Le monde n'est pas que noir et blanc. Ce n'est que quand vous êtes parvenu à capturer l'essence de la nature humaine que vos personnages peuvent acquérir une apparence de réalité.

❷ Le roi singe 2

❸ Étude de personnage de jeu 1

❹ Étude de personnage de jeu 2

❺ Étude de personnage de jeu 3

***-- Quelles techniques utilisez-vous pour assurer la véracité de vos personnages ?***

-- Tous les détails d'un personnage bien conçu ont leur rôle à jouer. Ses chaussures, par exemple, nous disent quel type de chemin il emprunte d'habitude ; et ses vêtements, d'où il vient. Les expressions du visage sont capitales et passionnantes. Mais si vous me demandez comment dessiner des visages fantastiques, je vous répondrai : « Dessinez plus, observez plus et réfléchissez plus. »

6

7

8

❻ Étude de person nage de jeu 4

❼ Étude de person nage de jeu 5

❽ Étude de person nage de jeu 6

❾ Étude de person nage de jeu 7

❿ Tabouret bas

⓫ Lance

⓬ Pour Orange

9

10

11

12

14

15

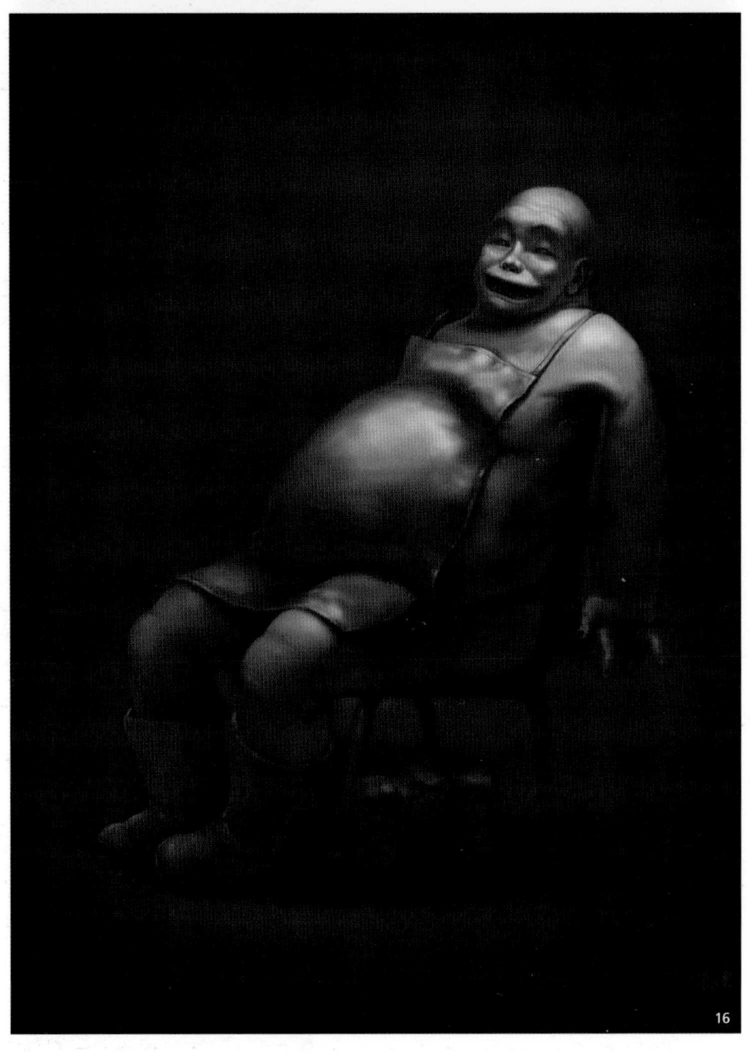

16

⓭ Père et fils

⓮ Danse

⓯ Jumeaux

⓰ La joie

***-- Quel était votre rêve quand vous étiez jeune? Où en êtes-vous de sa réalisation?***

-- Je me voyais enlevé par des extraterrestres et vivre sur d'autres planètes vêtu d'une combinaison moulante argentée. Mais il me semble bien que ce rêve a volé en éclats.

Nom : Ya Lee (Lee-337)
Profession : key animator chez Possibility Space
Site Web : www.lee337.net

# Les perspectives d'un trentenaire

## Un entretien exceptionnel avec Ya Lee, concept artist

Lorsqu'un homme a atteint 30 ans, ce sont les perspectives qui s'offrent à lui qui déterminent si l'année en cours va s'avérer plus riche que la précédente. Ici, chez Possibility Space, c'est la qualité du projet qui détermine ses perspectives ; sa qualité, la concurrence, le lancement d'un autre projet et même les changements dans les responsabilités de chacun. Chacun ici fait quelque chose qu'il n'a jamais fait auparavant. Et ce qu'il faisait avant, il ne le fait plus de la même façon, car il a changé de modèle.
En parlant avec les membres de cette équipe, on se sent porté par leur enthousiasme pour les travaux accomplis et le projet en cours, qui, nous l'espérons, influera à son tour sur leurs perspectives. À 30 ans, Ya Lee commence une nouvelle carrière. Avec la fierté et l'allant dont il fait preuve, il est sûr d'avoir devant lui une année riche de succès et de réalisations.

## Entretien

***-- D'après vous, quels sont les plus grands défis qui vous attendent sur ce projet ? Et votre travail est-il d'une manière ou d'une autre plus productif que par le passé ?***

-- Pour moi, le premier défi c'est de maintenir le cap [rires] et d'apprendre à organiser tout un tas de tâches 2D sans lever le pied pour autant sur le reste. Mon plus gros souci, c'est l'interface utilisateur. J'ai aussi des problèmes avec la conception et les illustrations, mais tout ça va s'améliorer en cours de projet. Pour un technologue, il n'y a rien de plus réjouissant que de faire des progrès en technologie, et c'est pourquoi je trouve que maintenant la fabrication des jeux est passionnante. Avant, c'était une activité très conventionnelle, car l'essentiel du travail consistait à associer divers programmes préexistants. Nous avons désormais à faire face à des exigences différentes. Je me souviens encore que dès que Feng Zu, le concepteur de Warrior Epic, a rejoint Possibility Space, il m'a poussé à trouver des concepts uniques qui nous distingueraient de la concurrence. Pendant longtemps, j'ai eu du mal. Mais grâce à son impulsion, la réussite était au bout du chemin. Mes meilleurs résultats chez Possibility Space concernent bien sûr la conception de jeu, ce qui m'a fait me rendre compte que ce que je faisais avant n'était que du bricolage.

2

3

4

5

6

❷ Le roi

❸ Percée

❹ Porte-flingue

❺ Illusionniste

❻ Guerrière

***-- Assurer l'avancement du projet de votre société prend beaucoup de votre temps. Est-ce que vous ne devez pas parfois laisser tomber vos propres idées, quitte à vous retrouver bridé dans votre liberté de créateur ?***

-- Bien sûr. J'ai plein de plans et d'idées que je ne peux exploiter pour le moment. Je peux seulement dessiner un peu pour moi le week-end ou le soir après le boulot, et ce que je fais laisse à désirer parce que je ne peux rien dessiner d'une seule traite, ce qui augmente encore ma frustration. Les deux sujets qui m'attirent le plus sont la science-fiction et le réalisme magique, pour revivre des expériences du passé, pour créer des formes osées et dynamiques et pour affiner mes compositions. Enfin, je ne vais pas rentrer dans les détails ici.

7

8

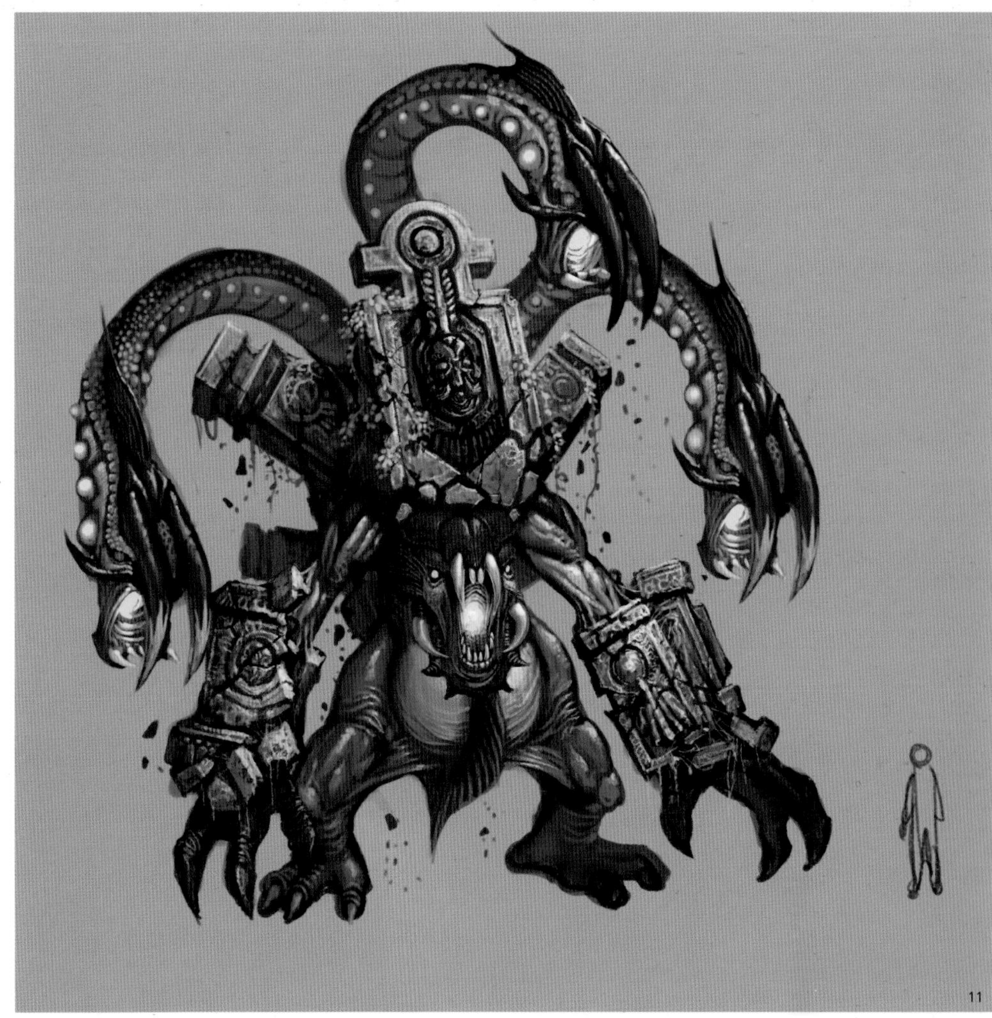

❼ Le cimetière des bateaux
❽ Le gardien
❾ Les restes d'Aberas
❿ Le chien d'Aberas
⓫ Le boss d'Aberas
⓬ Personnages de jeu

***-- Et quels sont vos plans pour l'avenir ?***

-- J'aimerais faire publier mes propres BD, ça fait longtemps que j'ai ce rêve. Et si l'entreprise marche bien, je parviendrais peut-être à combiner mes propres projets avec ses programmes de développement. C'est à ça que j'aspire le plus.

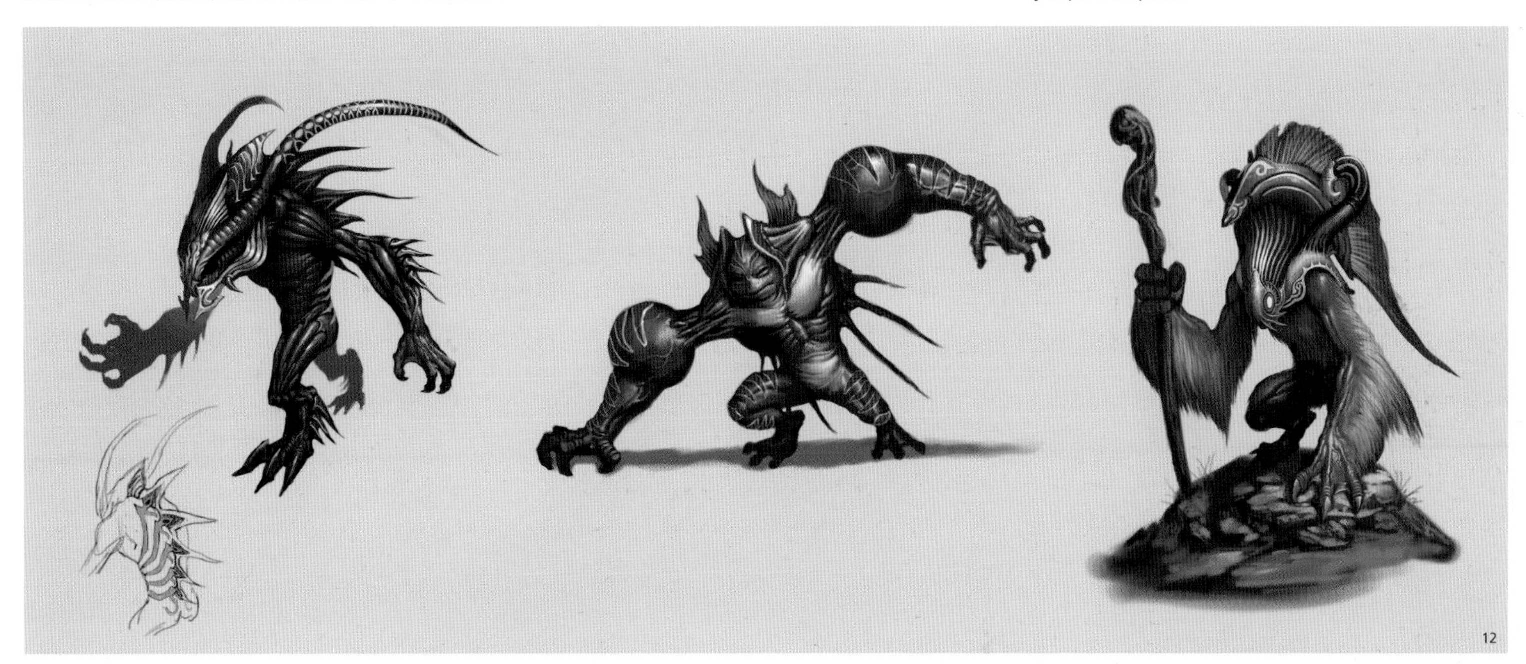

13

15

14

⓭ ⓮ Guerrière

⓯ Pit-Fighter

⓰ Pin-up 3b

17 Éclaireuse

***-- Quel était votre rêve quand vous étiez jeune ? Où en êtes-vous de sa réalisation ?***

-- J'en avais beaucoup [rires], mais le seul qui vaille la peine d'être cité est mon espoir de faire un jour des BD dont le succès surpasse celui des BD de super-héros américaines. Où j'en suis ? J'en suis toujours à préparer mon premier pas dans cette voie.

Yongjie Lee

Nom : Yongjie Lee
Profession : key animator chez Object Software

# Héros en formation

## Un entretien exceptionnel avec Yongjie Lee, concept artist

Il y a de nombreuses définitions de ce qu'est un héros, mais devenir un héros, même avec un modèle précis en tête, n'est pas à la portée de tout un chacun. L'intuition des enfants leur dit que soldats ou policiers sont forcément des héros, mais en grandissant, nombre d'entre eux y réfléchissent à deux fois et choisissent de ne pas suivre leurs pas.
Pour Yongjie Lee, notre interlocuteur, un héros, c'est juste un individu extraordinaire, au sens large du terme. Enfant, il a commencé à peindre et, tout naturellement, artistes et peintres sont devenus ses héros. Juste avant d'obtenir son diplôme d'études secondaires, il a décidé de tout laisser tomber pour l'art et continué sur la voie qui devait l'amener à devenir un artiste. En fait, il s'était engagé sur cette voie dès qu'il avait rencontré l'œuvre de ces héros-là.

## Entretien

***-- Quels sont d'après vous les éléments essentiels qui font le succès d'un personnage ? Et avez-vous tiré des principes généraux de cette expérience ?***
-- Pour moi, un concept artist doit se concentrer sur les caractéristiques du personnage pour insuffler la vie à ses illustrations en fonction des exigences du design du jeu ou de ses préférences personnelles. Mon principe de base est de m'efforcer de différencier le plus possible ma production de celle des autres.

***-- Combien de temps une illustration vous prend-elle ? Et comment y travaillez-vous ?***
-- Disons quatre à cinq jours, en général sur Photoshop. J'ai appris plusieurs approches possibles de quelques maîtres ; par exemple, on peut commencer par dix à vingt esquisses petit format, puis en reprendre quatre à six pour en faire des prototypes. On répète le processus plusieurs fois en pyramide jusqu'à ce que le travail de conception, d'assortiment et de mise en couleurs soit fini. Il ne reste plus alors qu'à rajouter détails et textures.

***-- Les costumes que vous dessinez pour vos personnages sont très marqués. Ce sont des costumes folkloriques, non ? Si on vous demandait de créer un jeu basé sur votre groupe ethnique, quels en seraient les scénarios ? Et quels éléments ethniques allez-vous introduire dans votre travail ?***
-- Et oui [rires], j'ai effectivement conçu des costumes et des ornements à base ethnique, pour donner un aspect original à mes images. Pour ce qui est du concept de jeu, et bien, tout conte populaire implique un conflit, même si ce dernier n'est pas forcément ethnique. Le conflit entre Chinois des plaines centrales et groupes ethniques frontaliers dure depuis la nuit des temps et a pu mener à quelques alliances. Mes concepts de jeu font en général référence à des groupes ethniques bien caractérisés, comme les minorités miao, mongole et yi.

2

***-- Quels sont vos plans pour l'avenir ?***

-- D'abord, publier un jeu. Ensuite, apprendre encore, peindre de nouveaux tableaux et me faire mieux connaître. Et avoir de nouvelles expériences. Je pense que mon point fort est la conception de personnage, mais j'ai tant d'autres choses à aborder, comme l'environnement et le concept design. J'espère qu'une communication accrue et de nouveaux échanges d'idées me permettront d'élargir mon horizon. Honnêtement, je ne crois pas que ma vie soit dans les jeux. Alors, il y a des chances pour que j'apprenne l'animation, mais c'est juste une préférence personnelle parce que souvent, quand j'entends une chanson, que je lis un article ou que je regarde une image, je les élabore dans ma tête pour ensuite les dessiner ou les peindre.

3

4

❷ En route pour le combat

❸ Départ

❹ Sans titre

5

6

7

❺ Attaché militaire

❻ Mecha design

❼ On ne naît pas vainqueur, on le devient.

***-- Aviez-vous un rêve particulier ? Et si oui, où en êtes-vous de sa réalisation ?***

-- Mon rêve n'était qu'un rêve : devenir un héros comme Frazetta ou Rockwell, mais il me semble que je m'en suis éloigné [rires]. Il va probablement falloir que je travaille plus dur pour faire renaître l'espoir de le réaliser un jour.

8

9

10

11

12

13

❽ Officier d'infanterie de l'armée des Démons

❾ Tonnerre

❿ Décaèdre

⓫ Flèche

⓬ Commando de l'armée des Démons

⓭ Sauvetage

14 Colporteuse

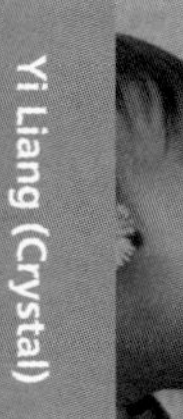

**Nom : Yi Liang (Crystal)**
**Profession : key animator chez Possibility Space**
**Blog : http://blog.sina.com.cn/hellbb2007**

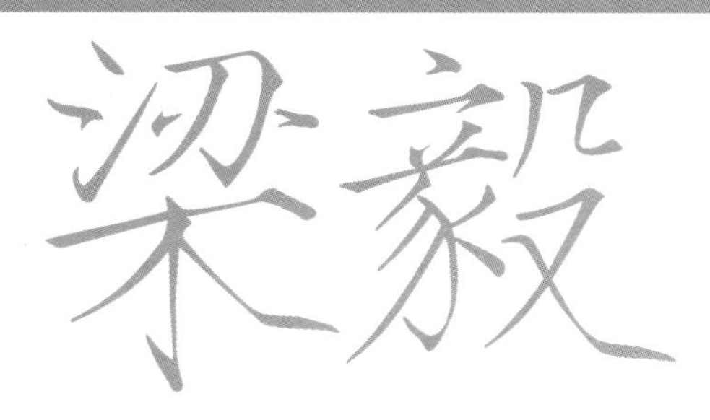


# Une ère nouvelle

## Un entretien exceptionnel avec Yi Liang, concept artist

Au cours des sept dernières années, Yi Liang a travaillé pour sept sociétés dans trois villes. Nombre des artistes de sa génération ont soit créé leur propre entreprise, soit changé d'orientation, mais Liang, qui continue à dessiner pour lui, ne s'est jamais éloigné du monde du jeu vidéo. Il vient de publier un livre et pense qu'une nouvelle ère s'ouvre à lui au sein de cette industrie. Une nouvelle ère, pour lui, c'est la reconnaissance à la fois de sa réussite individuelle et des valeurs d'entreprise. Fin 2007, Liang, se rendant compte de l'importance du développement personnel, a rejoint Possibility Space avec de nombreux autres disciples de Feng Zhu, fondateur de Possibility et concepteur de robots pour Transformers. Sept ans de dur labeur ont fait de Crystal — c'est son pseudo Internet — un bon concept artist, qui aborde maintenant une page vierge de son livre personnel avec un nouvel objectif en tête : devenir un gamer complet.

## Entretien

***-- Il y a des quantités de jeux aujourd'hui. Pour vous, qu'est-ce qui fait un bon jeu ?***

-- Il est d'abord essentiel qu'un jeu tourne parfaitement sur l'ordinateur du joueur. Viennent ensuite l'interface et la jouabilité. Ceci posé, je dirais que la programmation et la conception sont les éléments les plus importants. Le travail d'équipe aussi bien sûr. Si chacun des équipiers a apporté quelque chose au projet, il y a de fortes chances que le résultat soit satisfaisant, ne laissant aucune place au regret.

***-- Qu'avez-vous accompli chez Possibility Space ?***

-- Depuis mon arrivée, Feng Zhu nous a incités à ne pas baser notre travail sur les programmes développés par nos concurrents, car un bon concept design requiert des idées neuves, et si vous utilisez des programmes développés par d'autres, la production finale n'est pas vraiment la vôtre. Pour créer vos propres concepts, il vous faut observer plus souvent les objets de base de la vie courante ou, plus précisément, combiner toutes sortes de choses pour en faire des images entièrement nouvelles. Cette approche tient la route, car toutes les créations sont basées sur les éléments essentiels de la vie. Et le processus de création est vraiment un plaisir et une incitation.

2

3

4

5

❷ Histoire de campagne

❸ Cauchemar

❹ La planète perdue

❺ Terre promise

***-- D'où vient que vous semblez préférer les thèmes classiques ? N'avez-vous pas peur que ça vous limite ?***

-- Depuis que je suis dans la partie, je travaille sur des trucs classiques [rires]. J'aime beaucoup essayer des choses nouvelles, mais je dois dire que je préfère sincèrement les éléments de la mythologie chinoise. Et ça ne me limite pas du tout, car l'art ne connaît pas de frontières. Quand c'est nécessaire, je fais appel pour mes créations à n'importe quelle culture, qu'elle soit occidentale, orientale ou autre.

***-- Aviez-vous un rêve particulier ? Et si oui, où en êtes-vous de sa réalisation ?***

-- Après mon diplôme d'études secondaires, je rêvais d'être dessinateur de BD. Aujourd'hui c'est plus un objectif qu'un rêve que j'ai : devenir un concept artist et un project manager de haute volée.

❻ Sorcière

❼ Berserker

❽ Guerrier

10

❾ Zhang Fei

❿ Âme

11

12

13

⓫ Huang Yueying ⓬ Porte-flingue ⓭ Guan Yu

Chen Lin (Wanbao)

Nom: Chen Lin (Wanbao)
Profession : infographiste décorateur
Blog : http://wanbao3.spaces.live.com

# Ce sont les décors qui font le jeu

## Un entretien exceptionnel avec Chen Lin, infographiste décorateur

Chen Lin est absolument convaincu de l'importance du décor dans un jeu, ce qui explique probablement pourquoi il n'a aucun doute sur son choix de carrière et son travail de création de décor. Les œuvres de Wanbao (son pseudo Internet préféré, littéralement « léopard nocturne ») nous aident à visualiser les expériences qui l'ont façonné. Son style est assez international. Il vise à rendre réels aux yeux du joueur des environnements globaux et à faire passer les informations les plus complètes possibles, qu'il s'agisse de catastrophes, d'univers prospères ou de la fantasy la plus libre.
Les techniques, à l'entendre, ne sont là que pour obtenir un effet ponctuel, l'important étant de comprendre l'environnement du jeu, reflet essentiel et direct de la vie et du travail. Lin a dessiné de nombreux vaisseaux spatiaux prêts à décoller, et au moment de prendre lui aussi son envol, il sait bien que le décor est ce qui compte. Et nous sommes sûrs que le jeu en vaudra la chandelle.

## Entretien

***-- Il semble que la plupart de vos créations soient du décor, avec très peu de personnages. Pourquoi cette attirance spécifique pour la conception d'environnement ?***

-- Depuis le début de ma carrière je suis essentiellement un spécialiste. C'est dû en partie à mon travail de responsable du décor. Mais en ce moment, je voudrais mettre un frein à cette spécialisation.

***-- Comment se fait-il que la science-fiction ait une telle importance dans vos œuvres ? Est-ce difficile pour vous de revenir au classicisme ou à la fantasy qui ont inspiré vos premiers travaux ?***

-- J'ai une préférence pour des sujets comme la science-fiction ou la mécanique et j'ai toutes sortes de modèles de SF dans mes placards à la maison. Pour être honnête, je ne suis pas bon dans le classique, par bien des côtés, pas seulement de point de vue de l'expression. De toute façon, ça n'a plus beaucoup d'importance maintenant que je suis concept designer ; l'important pour moi c'est d'être un artiste concepteur professionnel.

***-- Comment travaillez-vous sur les concepts ? Et combien de temps vous faut-il pour réaliser une illustration de concept design ?***

-- En général, je me concentre sur l'observation. Je tiens aux illustrations que j'ai faites autour de concepts qui m'intéressaient, même si certaines sont mal dessinées. Il m'arrive parfois, quand une idée me vient, de la crayonner sur une feuille à grands traits. Bien que nombre de ces esquisses ne resservent jamais, j'aime à les considérer comme une accumulation d'expériences. Pour gribouiller un rough, il ne me faudrait guère plus de deux ou trois heures, mais créer une animation originale prendrait probablement deux semaines. Je m'empresse d'ajouter que les créations de Craig Mullins sont mes préférées et qu'elles m'ont inspiré de plus d'une façon.

❶ Transporteur

2

3

4

❷ Vaisseau spatial

❸ Base dans une grotte

❹ Atelier de maintenance

***-- Que pensez-vous de votre propre style de création ? Et avez-vous des principes de base en ce qui concerne la création de concept ?***

-- Je n'ai jamais cherché à définir mon propre style. Mon but est juste de faire passer mes idées avec simplicité. Quant au concept design, je dirais que les concepts sont des concepts, et que donc toute approche qui permet d'exprimer clairement des idées précises fait l'affaire. Pour les illustrateurs, il est essentiel de s'exprimer efficacement à travers des images. C'est pour eux un langage unique.

***-- Aviez-vous un rêve particulier ? Et si oui, où en êtes-vous de sa réalisation ?***

-- J'aspirais à devenir un maître de l'infographie, à avoir plein de fans et de disciples. Mais le chemin est encore long.

5

❺ Base navale

6

7

❻ Invasion 1

❼ Invasion 2

❽ Base du futur

❾ Cité du futur

❿ Jungle

8
9
10

11

12

13

14

15

⓫ Soldat de fer
⓬ L'appel
⓭ Soldat tank
⓮ Le territoire du diable
⓯ Cité communicante

Hui Ling (Mamax)

Nom : Hui Ling (Mamax)
Profession : concept artist chez Electronic Arts Computer Software (Shanghai)

# Le temps comme métal rare

## Un entretien exceptionnel avec Hui Ling, concept artist

Il y a deux ans, lors de notre premier entretien, Hui Ling était fraîchement diplômé de l'université. À l'époque, il aimait tellement les modèles de robots qu'il lui arrivait de s'endormir auprès des machines-outils. Pour moi, ce garçon avait quelque chose d'un morceau de titane blanc, brillant, solide et simple.

Aujourd'hui, Ling dirige une équipe de concept designers chez EA. Je suis tout aussi impressionné par ses progrès que par l'idée que ce concept artist talentueux a croisé la route de l'entreprise pour laquelle il était fait, une entreprise installée de longue date et à la réputation solide. À mes yeux, Ling a laissé tomber ses jouets pour devenir un joueur professionnel, prêt à consacrer son énergie à l'industrie du jeu.

L'efficacité de toute équipe est celle du plus faible des maillons de la chaîne d'individus qu'elle constitue. Ling est un maillon de titane. Il a d'ailleurs tendance à voir son temps comme une sorte de métal rare, qu'il doit répartir avec soin et utiliser avec sagesse afin de recueillir la moindre étincelle d'inspiration dès qu'il dispose d'un instant de liberté.

## Entretien

***-- Qu'est-ce qui vous plaît tellement dans la conception d'objets mécaniques ?***

-- Et bien, ça remonte à mon enfance. Quand j'étais gamin, j'adorais tous ces trucs extraordinaires : monstres, OVNI, robots, dinosaures. Encore maintenant, j'en suis fou, en particulier des robots.

***-- Y a-t-il eu du changement dans votre concept design ?***

-- J'avais l'habitude d'utiliser la technique marqueurs pour donner l'effet industriel, mais après je suis passé aux techniques de l'huile et de l'aquarelle pour la conception de mécanique classique. En général, la technique marqueurs fonctionne bien pour rehausser les images et permet de gagner du temps sur les effets parce qu'il y a moins de matériel et de couleurs disponibles. La mécanique, c'est relativement plus compliqué car il faut prendre en compte des choses comme la lumière et l'ombre, l'atmosphère, les mélanges de couleurs et les textures. Néanmoins, j'utilise toujours la technique de la couleur cassée de la peinture à l'huile parce que c'est avec elle que j'obtiens les meilleurs effets pour le joueur.

***-- Combien de temps vous faut-il pour réaliser une illustration de concept design ? Vous imposez-vous une vitesse de travail donnée ?***

-- Et bien, quand je ne suis pas familier du sujet, il me faut environ une heure pour accumuler des infos avant de commencer à travailler sur une première esquisse, en ajoutant parfois des idées nouvelles non encore exploitées. Je m'impose effectivement un rythme de production, et j'espère me perfectionner le plus possible. J'ai pour habitude d'exprimer le concept avec des techniques simples mais efficaces.

***-- Aviez-vous un rêve particulier ? Et si oui, où en êtes-vous de sa réalisation ?***

-- Gamin, je voulais devenir savant. À l'université, mon rêve était de réaliser un modèle que j'aurais conçu moi-même vers la trentaine. Et puis, je l'ai fait, avec mes amis. Alors je crois que rêve et réalité ne font pratiquement plus qu'un.

❶ Le cauchemar du cirque

THE
CIRCUS
NIGHT MARE

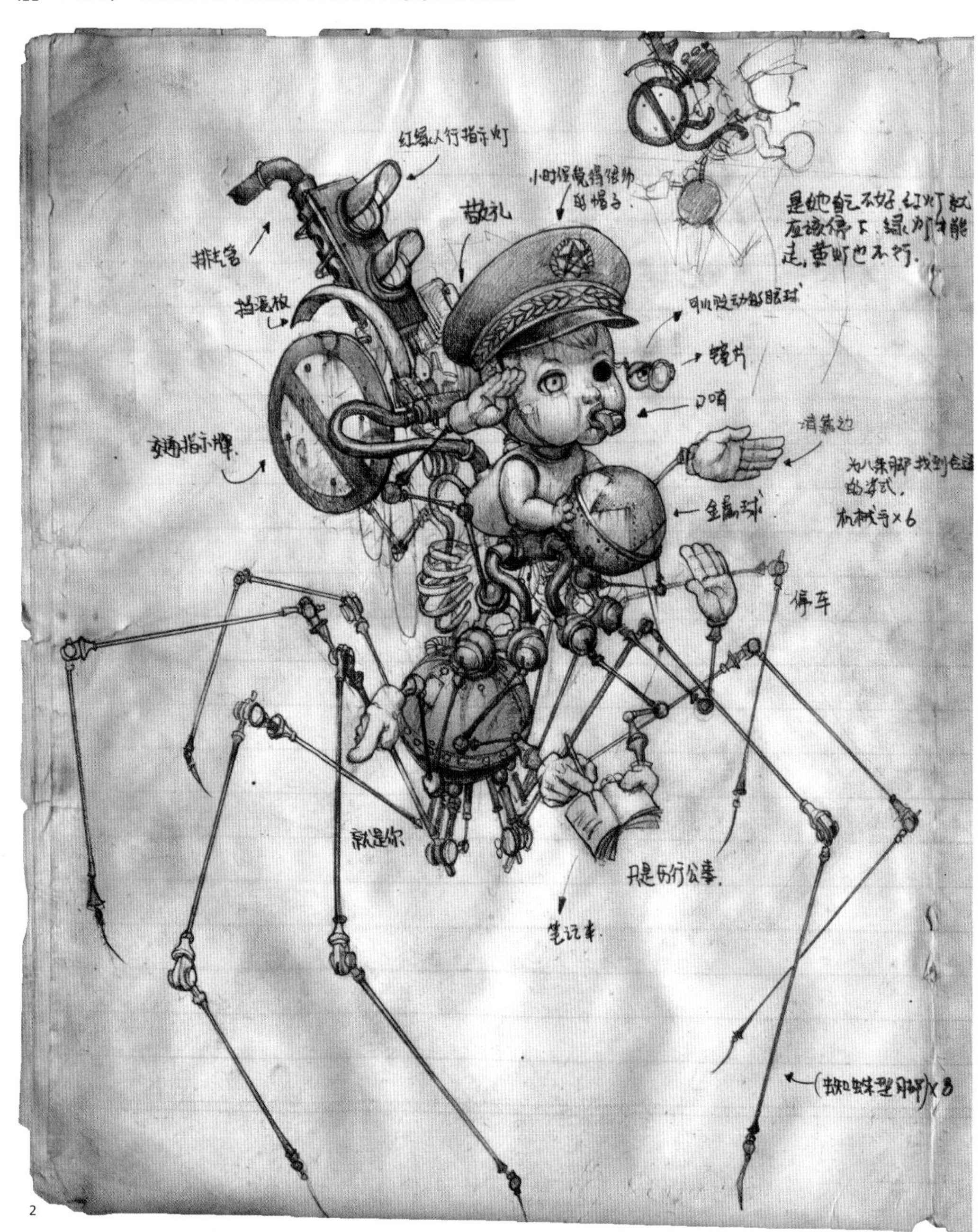

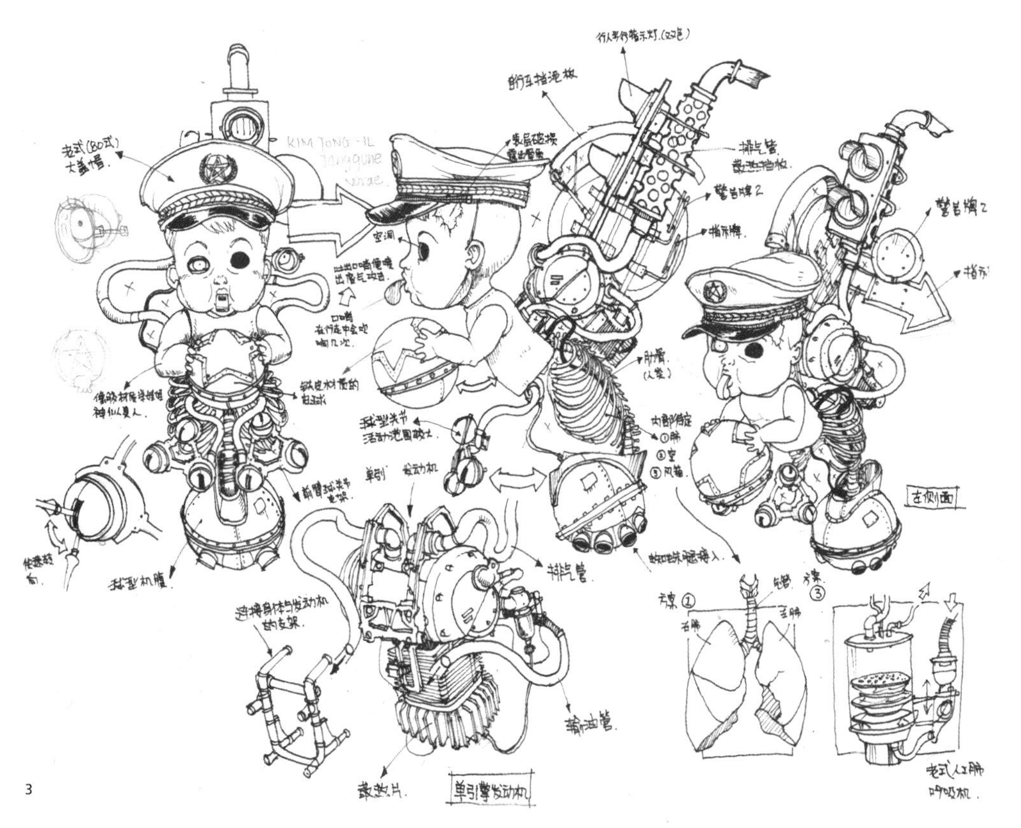

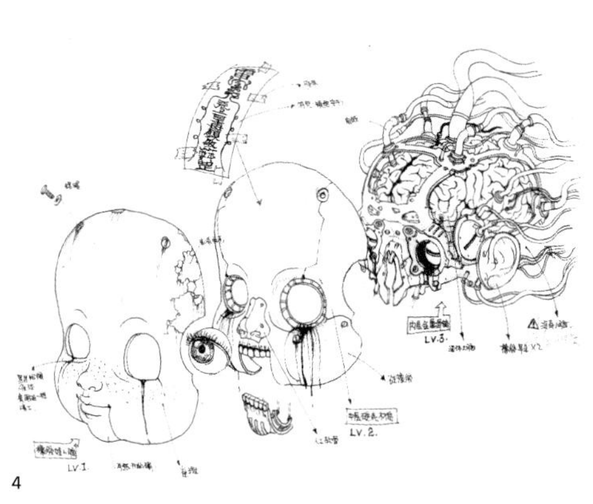

❷ Ouija Board — Flic à huit pattes

❸ Ouija Board — Éclaté du flic à huit pattes

❹ Ouija Board — Éclaté de la tête de Nimmanarati

5

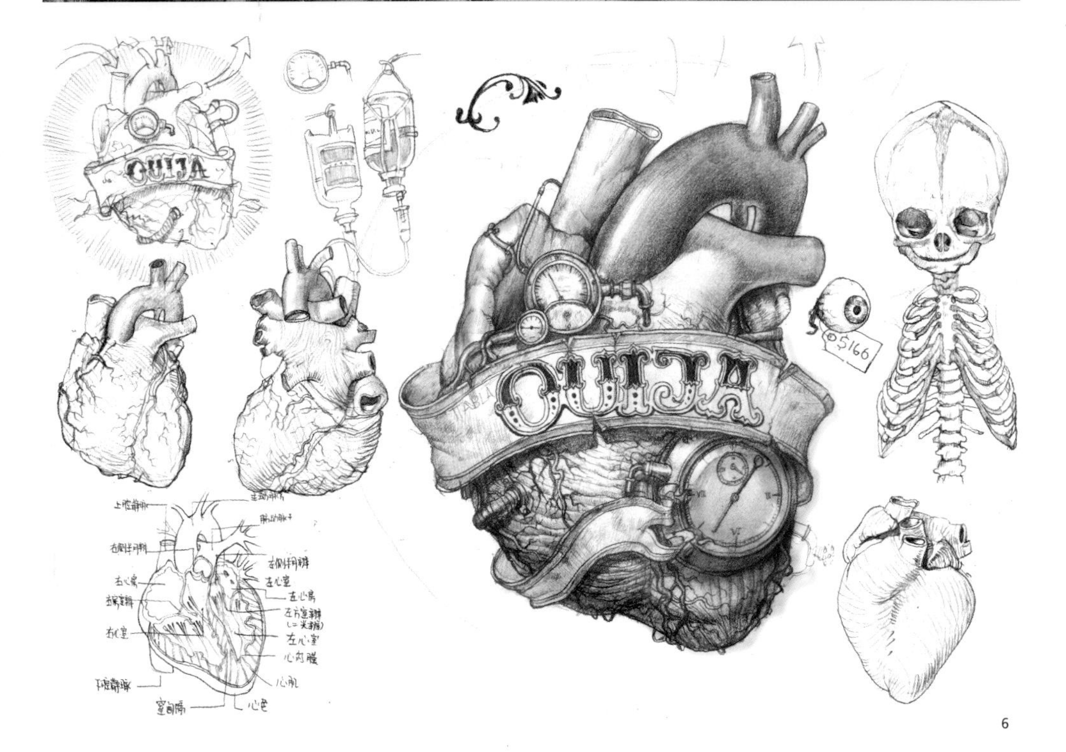


6

❺ Ouija Board — Cafards-fées à l'assaut de la machine à sucreries

❻ Ouija Board — OUIJA

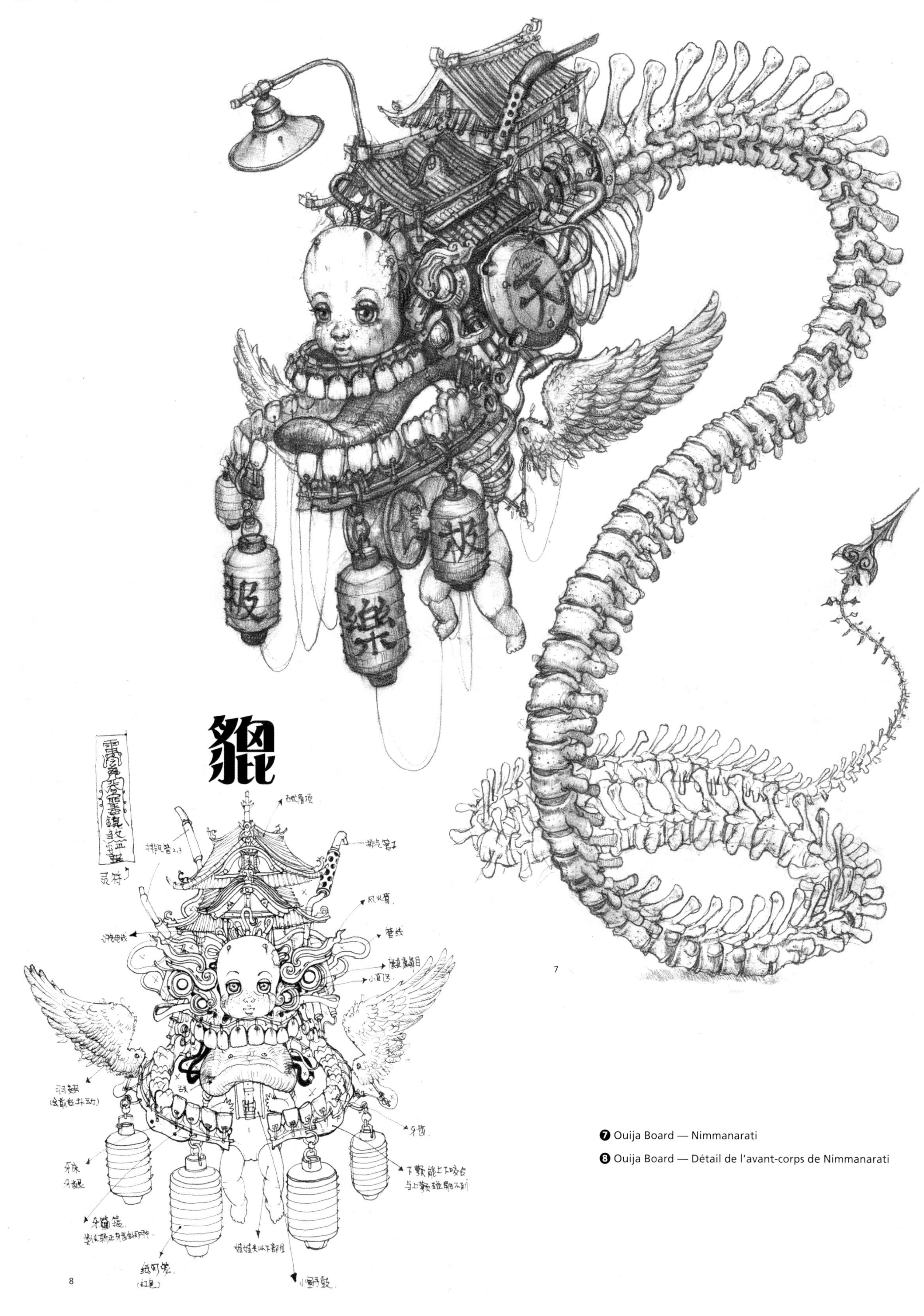

❼ Ouija Board — Nimmanarati

❽ Ouija Board — Détail de l'avant-corps de Nimmanarati

❾ Garde du corps rouge

❿ Hachoir à viande

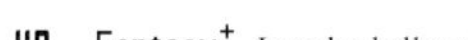

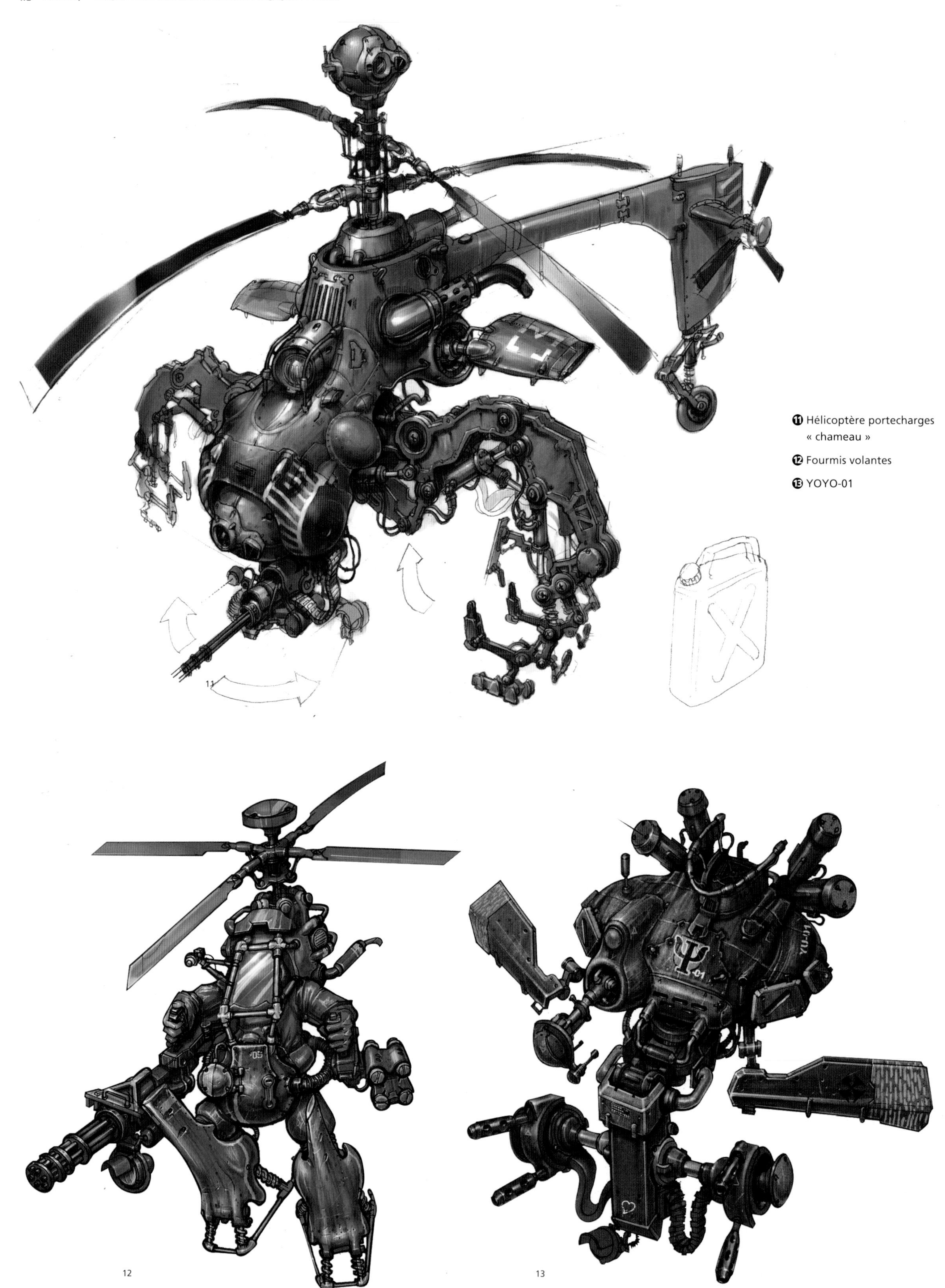


⓫ Hélicoptère portecharges « chameau »

⓬ Fourmis volantes

⓭ YOYO-01

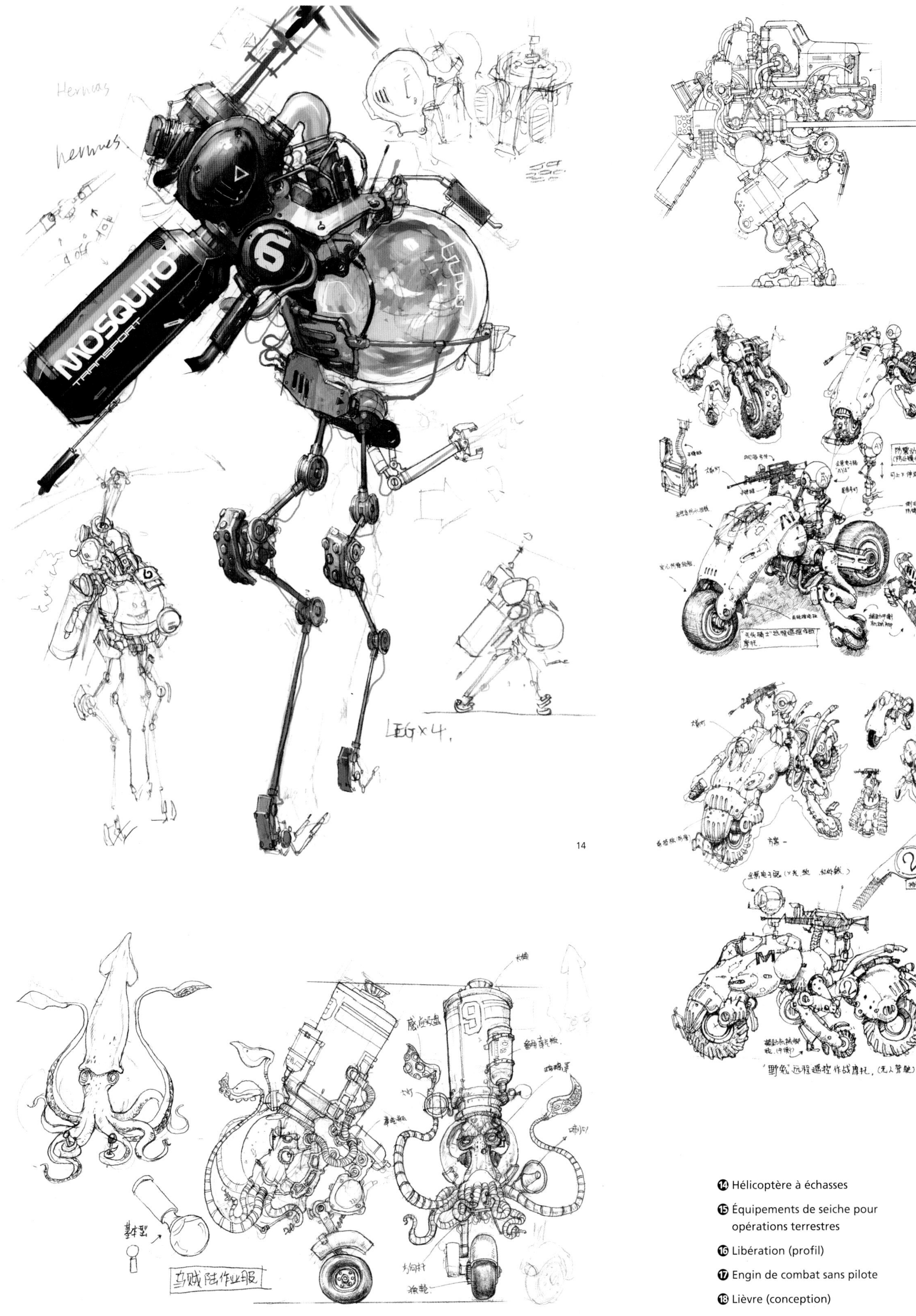


⓮ Hélicoptère à échasses

⓯ Équipements de seiche pour opérations terrestres

⓰ Libération (profil)

⓱ Engin de combat sans pilote

⓲ Lièvre (conception)

Dongzi Liu (Eastmonkey)

**Nom : Dongzi Liu (Eastmonkey)**
**Profession : illustrateur indépendant, infographiste décorateur**
**Site Web : http://eastmonkey.blogcn.com/index.shtml**

# À la recherche du roi singe

## Un entretien exceptionnel avec Dongzi Liu, illustrateur indépendant

Dongzi Liu a choisi le nom de son idole, le roi singe, comme pseudo Internet. Rien d'étonnant donc à ce qu'on retrouve chez lui tant des traits attribués à cette figure mythique du Voyage en Occident, grand classique chinois. Comme lui, c'est un amoureux de la tradition, fort, inflexible, cynique et audacieux. Le roi singe est présent dans nombre de ses créations, illustrations, BD ou encore aquarelles. Mais, plus important encore, Liu participe à une nouvelle édition du Voyage, pour laquelle il est responsable du dessin des personnages et du décor. Il aime le roi singe depuis son enfance, mais, s'il s'imagine le rencontrer bientôt, il admet qu'il ne parvient pas à dessiner l'image qu'il en a en tête.
Sa longue odyssée à la poursuite de son héros donne encore plus de poids à ce garçon. Comme dans un film, la quête porte en elle-même sa récompense et elle rend meilleur ceux qui la suivent.

## Entretien

***-- En tant qu'indépendant, que devez-vous faire pour être reconnu par vos clients ?***
-- Et bien, pour être honnête, je ne me suis jamais vraiment posé la question, mais ce que je sais, c'est que si mes illustrations sont « géniales », tout ira bien.

***-- Et, d'après vous, à quoi doit ressembler une illustration ou un concept « génial » ?***
-- C'est comme pour un plat ! Pour qu'il soit « génial », il faut que sa couleur, son odeur et son goût soient excellents. Imaginez une illustration qui aurait pour thème l'Europe du Moyen Âge. Et bien, il faudrait que tout ce qu'on y voit corresponde au mieux à l'atmosphère de l'époque, y compris des éléments comme l'état d'esprit des personnages et l'environnement. Pour moi, il faut rassembler toutes les données nécessaires et les étudier à fond avant de commencer le travail.

***-- Vos œuvres numériques rappellent beaucoup le style du dessin à la main et vos créations à la main sont remarquables. Qu'est-ce qui vous lie si fort à cette texture spécifique ?***
-- J'ai su ça très tôt quand je faisais de l'aquarelle : une différence essentielle entre l'infographie et le dessin à la main est que ce dernier est imprégné de l'humeur et des sentiments du créateur. C'est pourquoi quand je crée sur ordinateur, je cherche toujours à retrouver les textures du dessin à la main.

❶ Le retour du roi singe

***-- À propos du Voyage en Occident, pourquoi aimez-vous tellement le roi singe ?***

-- Beaucoup de gens l'aiment, moi parmi les autres. Quand j'étais enfant, je brandissais tout le temps le « gourdin d'or », son arme. Au cours des ans, j'en suis venu à le considérer non seulement comme mon idole, mais aussi comme mon talisman. À chaque fois que j'ai des problèmes, je sais que le roi singe, « le grand sage égal du ciel », est à mes côtés. Et c'est pour ça que j'ai souvent son image à l'esprit.

❷ Le chevalier blond

Dongzi 08.

***-- Ça veut dire que vous avez cherché à trouver le roi singe dans votre propre esprit ? Croyez-vous que ce soit possible à notre époque ?***

-- Le roi singe est le héros mythique des Chinois, et toutes les générations ont besoin d'une idole. Chaque Américain a un Superman dans la tête.

***-- Aviez-vous un rêve particulier ? Et si oui, où en êtes-vous de sa réalisation ?***

-- Je n'ai qu'un rêve et je tuerais pour le réaliser : voir le roi singe en personne.

❸ Renard

❹ Hommage à Ya San

3

YASAN

5

❺ L'amie du feu

❻ Possession

❼ La fille à cochons 1

❽ La fille à cochons 2

6

7

8

9

10

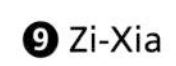

❾ Zi-Xia

❿ Le roi de la rue

⓫ Citrouille

Yang Liu (Darklord)

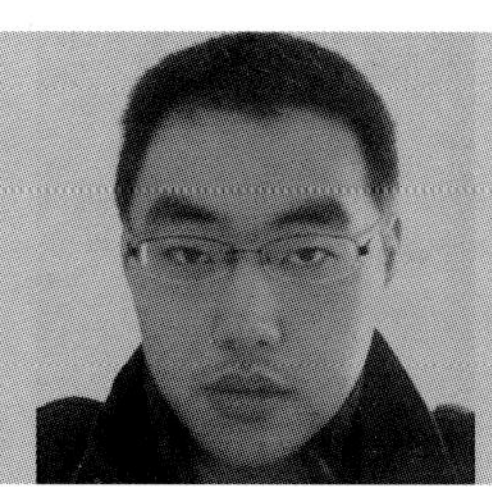

Nom : Yang Liu (Darklord)
Profession : illustrateur indépendant, concept artist
Site Web : http://liuyang-art.com

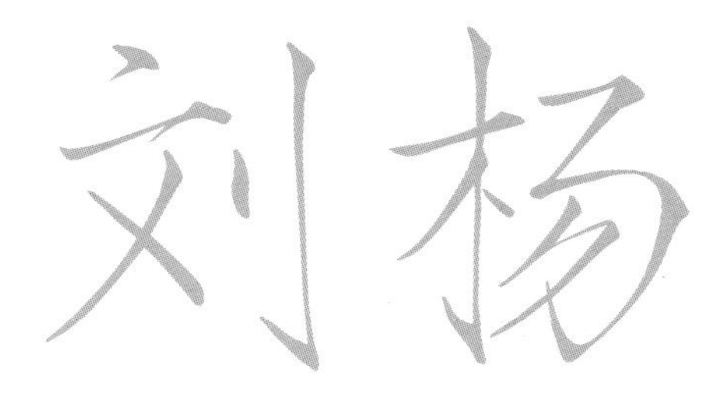

# La valeur n'attend pas le nombre des années

## Un entretien exceptionnel avec Yang Liu, illustrateur indépendant

Tout comme ses pairs « juvéniles », Yang Liu aime la liberté, prend la vie au jour le jour, croit en ses capacités et se veut le maître de son destin. Âgé de 22 ans, Liu est actuellement étudiant en anglais. Bien qu'il s'arrache les cheveux sur sa thèse en ce moment, il reste à mes yeux très cool, parce qu'il a une double vie. D'un côté, c'est un étudiant râleur qui fait volontiers l'école buissonnière ; de l'autre, un illustrateur en herbe au sein de la communauté infographiste internationale.
S'il est déjà très impliqué dans la création sur ordinateur, il n'est pas encore suffisamment introduit dans ce milieu. La reconnaissance lui vient de plus en plus d'institutions étrangères, tandis que l'énorme marché chinois attend de l'accueillir. Mais Liu espère travailler en indépendant, pour garder sa fraîcheur.

## Entretien

***-- Il me semble que vos œuvres sont très basées sur la mécanique ou extrêmement futuristes, même si vous y ajoutez en général une note d'humour. Pourquoi privilégiez-vous ce style ?***
-- Et bien, pour être honnête, j'aime ce qui est tactile et la science-fiction. Pour moi, on peut considérer les imaginaires construits autour de la mécanique et d'un monde futuriste comme de la « romance virile », et vous pouvez voir la note d'humour comme un symbole d'espièglerie romantique. De toute façon, les visions romantiques d'un grand garçon ne devraient pas ressembler aux visions à l'eau de rose d'une jeune fille.

***-- Pour dessiner des illustrations futuristes et de mécanique, un artiste doit avoir ses propres principes de concept design. Quels sont les vôtres ?***
-- Personnellement, je préfère les vieux robots ou le cyberpunk. Pour ce qui est de la robotique systématique, je n'ai pas d'idées précises, mais j'envisage d'adapter des éléments d'architecture chinoise ancienne à mes travaux, et pas seulement une pâle copie des trucs classiques, mais un mélange de certaines structures, formes et dispositions dans le style futuriste. Je pense que ce serait très sympa à faire.

***-- Quels sont d'après vous les avantages du travail indépendant par rapport au travail en entreprise ? Et pourquoi tenez-vous à continuer en indépendant ?***
-- La liberté. Se lever sans stress tous les jours et ne pas avoir à s'agglutiner avec d'autres gens dans le métro pour se rendre au boulot. Et, si on veut, on peut aussi aller travailler sur un portable dans un café ou à la campagne, et même s'installer loin de la ville où il est si cher de se loger. En plus, ça rapporte bien.

❶ Atterrissage

3

❷ Une expérience intéressante

❸ Robot samouraï

❹ Marché

❺ Rue

***-- Aviez-vous un rêve particulier ? Et si oui, où en êtes-vous de sa réalisation ?***

-- Vivre confortablement, dessiner ce que je veux et avoir autant de succès que Craig Mullins. Pas de problèmes pour les deux premiers et disons que le troisième est mon prochain objectif. Je ne serai probablement jamais aussi bon que Mullins, mais je vais essayer [rires].

3

5

6 Toast

WELCOME

8

9

❼ Bienvenue à Lapinville ❽ Oiseaux de compagnie ❾ Robot cyberpunk

10

11

12

⑩ Flou

⑪ Chevalière

⑫ Royaume

Yong Liu (Yohn)

Nom : Yong Liu (Yohn)
Profession : directeur artistique chez Coslight Tiancheng Interactive Software
Site Web : http://www.yohn.cn

# Bâtir tout un monde en deux ans

## Un entretien exceptionnel avec Yong Liu, infographiste

Au cours des deux dernières années, Yong Liu a vécu une vie bien différente de la plupart des nôtres, ou en tout cas différente de ce qu'elle était avant. Il y a deux ans, il a quitté Pékin pour Shenzhen. Depuis je n'ai guère vu d'œuvres de lui, ni entendu parler de lui, comme s'il avait changé de monde. Et, de fait, il vit à un autre rythme que le nôtre. Il a, pour la première fois, pris la responsabilité d'une équipe de projet. En tant que directeur artistique, il consacre une grande partie de son temps à son travail, aux réunions qui remplissent son agenda et, tâche la plus intensive et la plus dévoreuse de temps, à ses créations. Le tout l'a plongé dans un monde où le temps produit de l'or.
Depuis deux ans, dans ce nouveau monde, Yong Liu s'en est bâti un pour lui.

## Entretien

***-- Vous semblez voué aux œuvres classiques. Pourquoi préférez-vous ce style-là ?***
-- Au cours de ma formation, j'ai consacré presque tout mon temps et tous mes efforts aux traditions culturelles chinoises, simplement parce qu'elles m'intéressent et que je ne peux les mettre de côté. Ce que je veux, c'est étudier, comprendre et faire le meilleur usage possible de ces traditions.

***-- Votre travail actuel ne vous laisse que très peu de temps pour vos créations personnelles. Y trouvez-vous votre compte ?***
-- Mon travail actuel comme mes propres créations tournent autour de ce que j'aime faire et de mes goûts artistiques. Quand je mets en place un projet, je m'enrichis, j'en apprends plus sur la conception des jeux, je me crée des opportunités d'acquérir et d'utiliser de nouvelles connaissances, ce qui accroît mon efficacité.

❶ La sentinelle

3

4

5

❷ Le dieu tonnerre

❸ Chevalier marin

❹ Homme lion

❺ Opéra

***-- Comment voyez-vous le concept design ? Quels sont vos principes de base ?***

-- Les concept designs reflètent la subjectivité des créateurs, mais ne sont pas pour autant des expressions aveugles de sentiments personnels. Quand vous restructurez votre matériau de départ, vous devez faire en sorte que la plupart des joueurs aient très vite la réponse cognitive attendue. C'est important. Avant de se lancer sur un sujet, un bon concept designer doit l'explorer en long, en large et en travers, il doit connaître et utiliser les canaux de transmission de l'information et savoir quels sont les grands principes et les grandes règles qui président à la génération de réponse chez le joueur.

6

❻ Capture

❼ Dragon

11

9

10

❽ Guerrier 1

❾ Jumelles

❿ Monstre de feu

⓫ Guerrier 2

⓬ Le dieu luth

⓭ Le dieu tour

13

Nom : Guoliang Sun (Dalian Newconcept)
Profession : concept artist chez Spicy Horse Games (Shanghai)
Blog : www.banhatin.blogspot.com

# Il faut un début à tout

## Un entretien exceptionnel avec Guoliang Sun, concept artist

Dans une entreprise qui sous-traite, rien n'est impossible ; tout est nouveau ; tout le monde doit aller de l'avant et faire son possible pour acquérir de nouveaux talents avec enthousiasme.
Guoliang Sun ne craint jamais de changer de vie ou d'aborder une nouvelle technique. Certes, sa ville natale est Dalian, et il s'y sent bien, mais elle n'est pas au cœur de l'industrie du jeu. De même, le matte painting n'est peut-être pas la technique de concept design qu'il connaît le mieux, mais c'est un outil technologique à maîtriser absolument aujourd'hui. Sun a grandi dans le monde du Web, au sein d'une entreprise très formatrice et à une époque où il n'avait pas encore trente ans et était prêt à tout essayer. Mais après ça, il lui aura fallu modeler son propre style en tirant le maximum de l'expérience acquise.

## Entretien

***-- Vous êtes l'exemple typique d'un concept designer qui s'est trouvé en « se perdant » dans la cybertechnologie. Pensez-vous que devenir pro en autodidacte soit désormais tendance ?***

-- Et bien, ça dépend de qui vous êtes, mais je pense que nous entrons dans une nouvelle ère de self-made men. La puissance des technologies Internet facilite le partage de ressources, et le Web nous permet d'apprendre les uns des autres.

***-- Quels sont les facteurs les plus importants à prendre en compte pour améliorer ses capacités en se formant seul ?***

-- D'abord, il est clairement important de changer sa façon de penser. Les frustrations et les échecs successifs me conduisent souvent à essayer de nouvelles techniques. Parfois, bien sûr, je m'abstiens de pratiquer pendant un bon moment pour réfléchir à ce que j'ai fait. Après ça, en général, je fais des progrès satisfaisants, jusqu'à ce qu'un nouveau cycle commence.

***-- Il y a des gens qui veulent devenir professionnels grâce à Internet. Quels conseils donneriez-vous à ces illustrateurs en herbe ?***

-- D'abord, de s'immerger dans un environnement créatif. Il faut qu'ils sachent que plus ils s'investissent, plus ils y trouveront leur compte. Pour moi, je commencerais par surfer sur le Web à la recherche de forums spécialisés et de pages personnelles d'artistes pour enrichir mes goûts. Faire souvent des esquisses et des études est bien aussi. Pour ce qui est de l'infographie, Photoshop est vraiment à la hauteur. Augmentez vos capacités en lisant les manuels des logiciels et tout ce que vous pourrez trouver d'autre dessus, puis téléchargez les illustrations qui vous plaisent le plus et qui, bien sûr, correspondent à ce que vous voulez faire. En bref : plus de pratique, plus d'observation et plus de réflexion !

❶ Guerrier Nakardy

character design for RED5 test

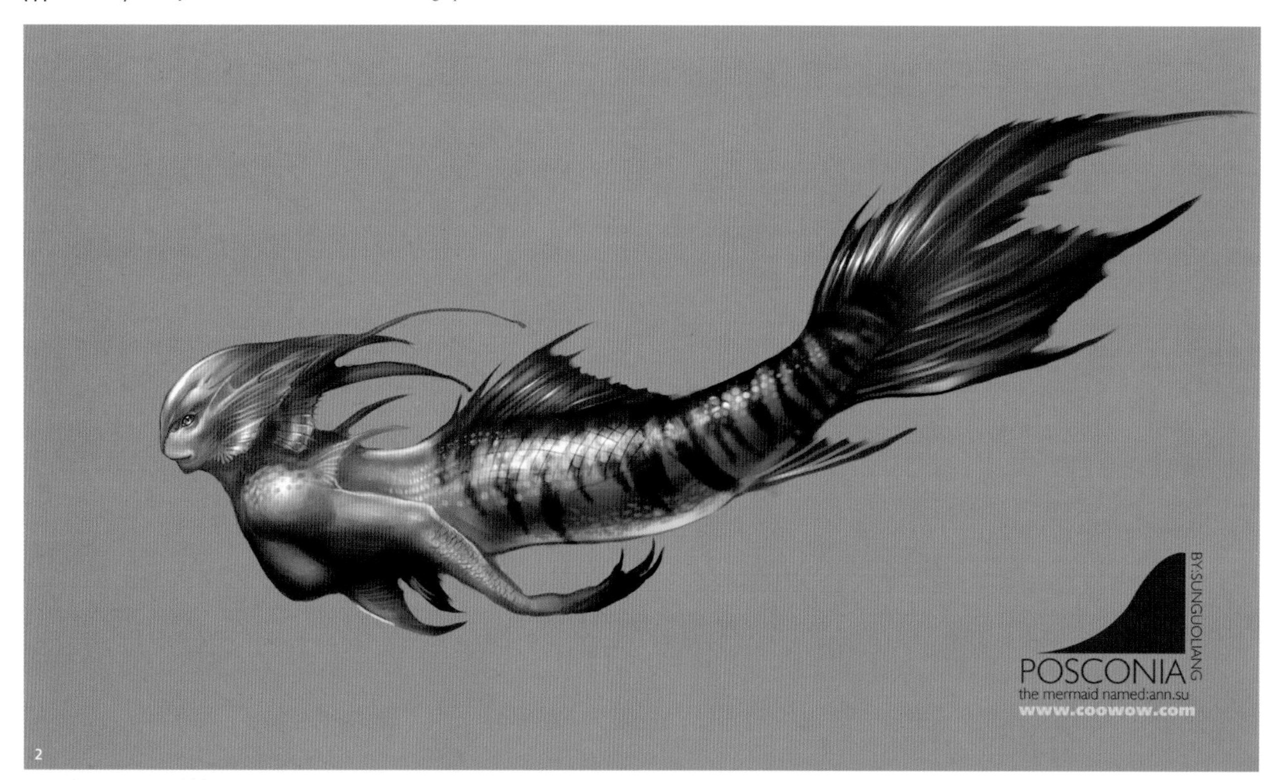


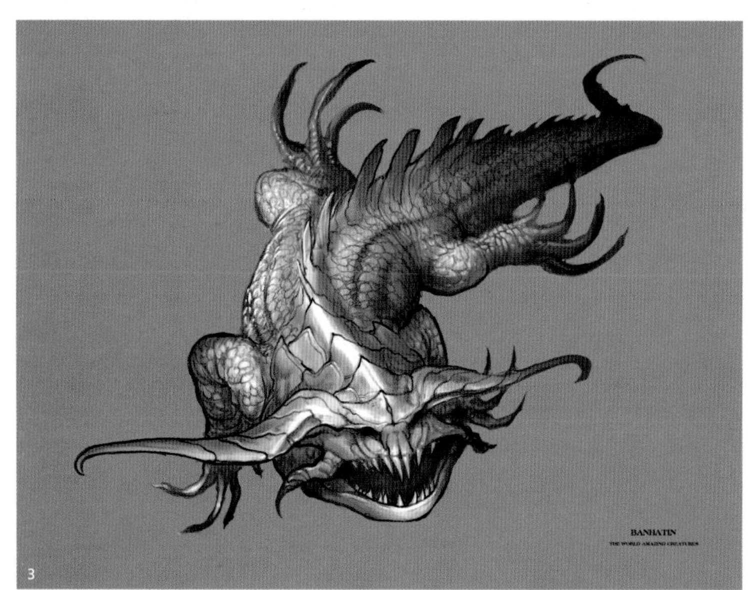

❷ Sirène

❸ Monstre aquatique

❹ Anges et démons

❺ Immense extraterrestre

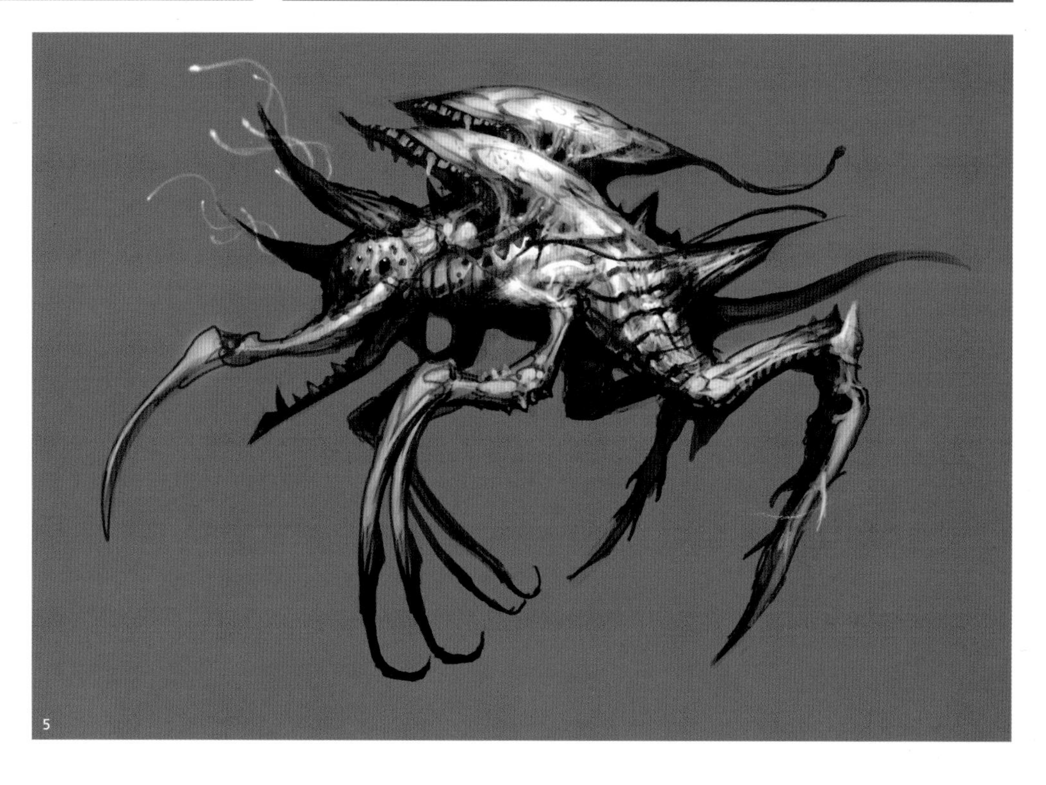

THE INSECTCRAFT

6

THE INSECTCRAFT

7

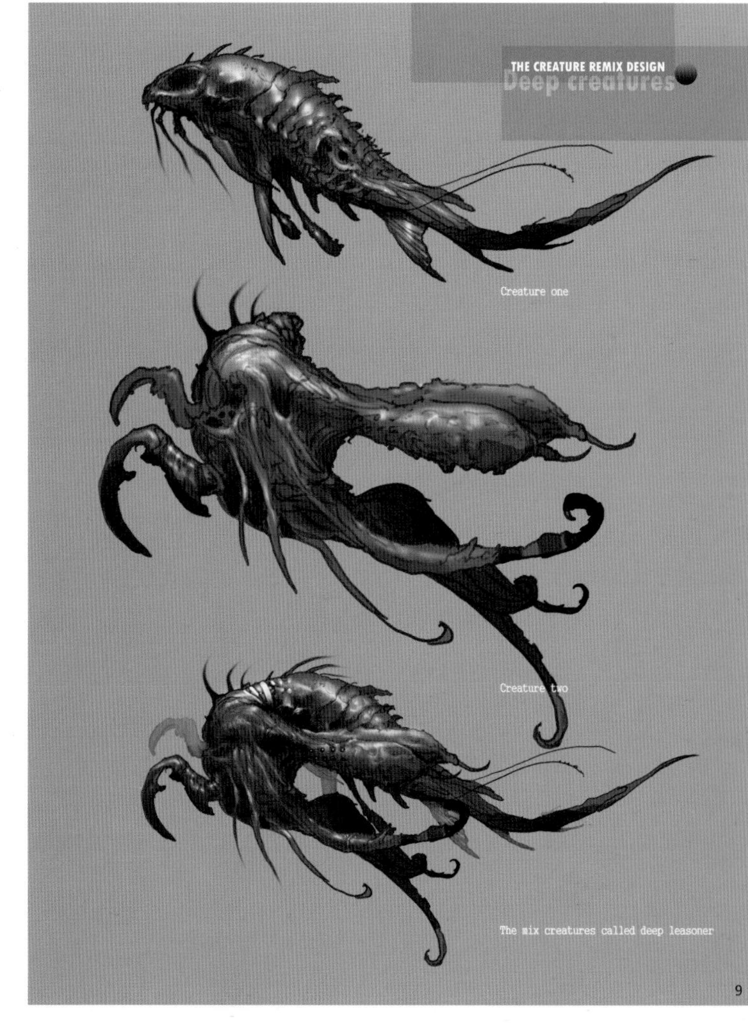


9

8

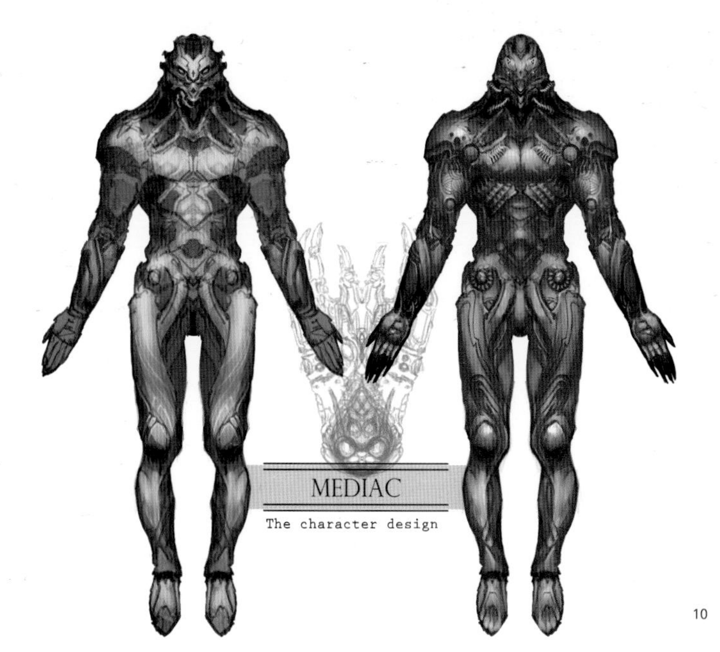


10

❻ Bestioles 1

❼ Bestioles 2

❽ Dessin d'adaptation pour créatures

❾ Dessin de géants Autan barbares

❿ Machinerie biochimique

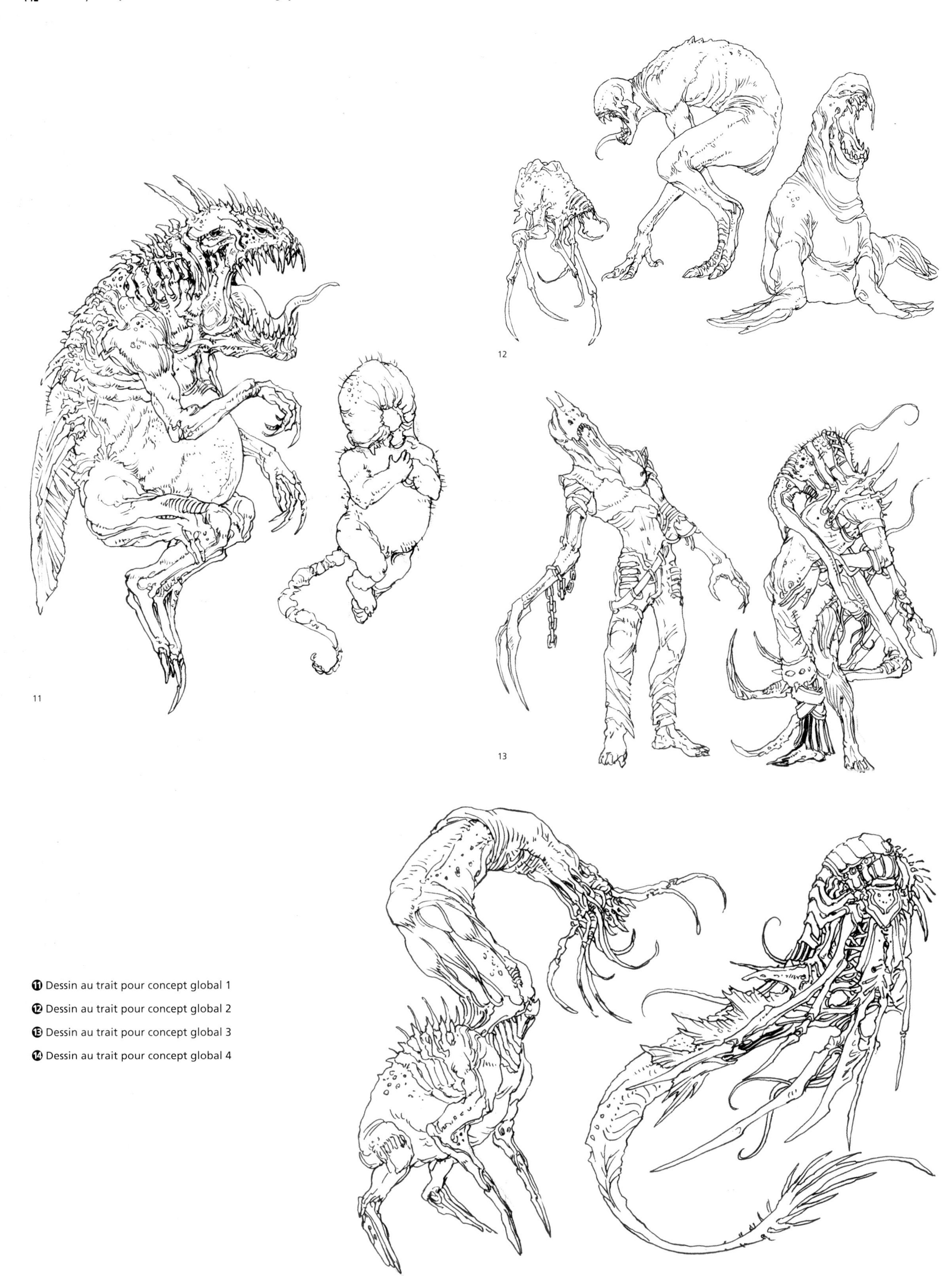

11

12

13

14

⓫ Dessin au trait pour concept global 1

⓬ Dessin au trait pour concept global 2

⓭ Dessin au trait pour concept global 3

⓮ Dessin au trait pour concept global 4

***-- Quels types de créations aimez-vous ? Et quelles catégories de produits cherchez-vous à créer ?***

-- En fait, j'aime toutes les créations des artistes qui sont de meilleurs illustrateurs que moi. Personnellement, je suis attiré par des sujets denses comme la science-fiction et le réalisme magique, en particulier le style sombre, comme celui de Brom. J'aimerais apprendre le style euroaméricain, avec le concept design et l'illustration comme objectifs. J'espère aussi dessiner plus d'illustrations dans le style chinois. De toute façon, il n'y a pas de mal à essayer différents styles.

⑮ Un grognement venu de l'enfer

⑯ Qilin nocturne

17

20

18

21

19

⑰ Perroquet de mer
⑱ Fox
⑲ Cheetah
⑳ Ringtail Lémurien
㉑ Chameleon Jackson

22

23

24

***-- Aviez-vous un rêve particulier ? Et si oui, où en êtes-vous de sa réalisation ?***

-- Je ne parlerais pas de rêve, mais d'objectif. Mon objectif est de me créer des opportunités de travailler comme concept artist pour de grandes entreprises internationales. Pour l'instant, avec cet objectif en ligne de mire, j'économise pour voyager.

㉒ Chat

㉓ Marmot

㉔ Secretary Bird

Man Qin (Carbon)

**Nom : Man Qin (Carbon)**
**Profession : concept artist**

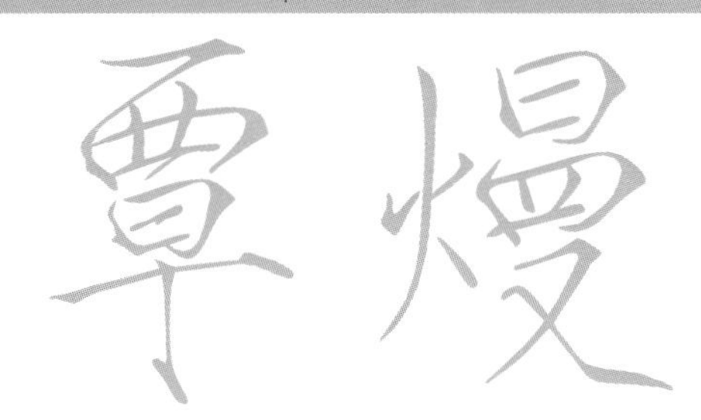


# Retour de flamme

## Un entretien exceptionnel avec Man Qin, concept artist pour les jeux vidéo

Si on regarde au-delà de sa fonction de « productrice de biens de consommation », on s'aperçoit que l'industrie du jeu vidéo a une réelle influence sur les valeurs personnelles de ceux qui l'ont choisie. C'est pour ça que nombre de créatifs s'y sont jetés à corps perdu. Même si parfois leurs projets sont gelés, leurs produits un échec ou leurs équipes disloquées, ils savent que la flamme de leur passion créatrice va renaître incessamment.

Au cours de l'année écoulée, Man Qin a dû faire face à un échec et s'est tourné brièvement vers l'industrie du cinéma, pour revenir bien vite au monde du jeu vidéo. En parlant avec lui, j'ai appris qu'il considère que celui-ci répond à ses besoins les plus profonds et lui offre de nombreuses possibilités de mettre en valeur ses dons. Le carbone — il a choisi « Carbon » comme surnom — existe sous bien des formes et brûle entre 300 et 700 °C. Lorsqu'il s'est vu frustré, seule l'industrie du jeu vidéo a pu lui fournir la chaleur nécessaire à raviver sa passion, le pousser à continuer et retrouver sa superbe pour enfin présenter ses brillants concept designs au public, bref à en faire un pur diamant.

## Entretien

***-- Pensez-vous que pour un créateur, tout soit dans la façon de se positionner ?***

-- C'est certainement un prérequis important de la réussite. En fait, nous parlons souvent de nos créations comme de nos « enfants ». Je ne doute pas de l'importance de bonnes conditions de travail, mais quand on est trop dépendants de conditions objectives, on risque de se négliger et d'en devenir les victimes. En outre, il est essentiel en tant qu'artiste de savoir où on se situe, et c'est particulièrement vrai quand on travaille en équipe.

***-- Les concepts dérivent de ce qu'on ressent et de ce qu'on a vécu. Est-il moins important de satisfaire son désir d'expression ? Et comment faites-vous pour vous retrouver — je vous cite — dans l'« état d'esprit du concept design » ?***

-- Le désir d'expression est CAPITAL. Le concept artist qui ne l'a pas est virtuellement « mort ». Ce que j'ai dit ne va pas à l'encontre de l'idée que les concept designs émergent de l'expérience personnelle. Et, à mon avis, il y a deux conditions préalables à remplir pour se retrouver dans cet état d'esprit particulier. La première, c'est être motivé, rester fixé sur le design, le concept, le scénario, ou l'idée de départ. Le second, avoir vécu, et c'est ce que j'ai désigné par la « pratique posturale » du concept design dans un de mes billets précédents.

❶ Chat de l'enfer

2

3

4

6

5

❷ Machine 1 (exercice)

❸ Machine 2 (exercice)

❹ Machine 3 (exercice)

❺ Casque

❻ Échantillon

***-- À vous croire, les concept designs sont issus de la vie du créateur. Ceci posé, comment le concept design fait-il sens ?***

-- Le sens, c'est de ne pas perdre notre âme d'enfant, celle qui alimente une imagination usée par le temps qui passe et le travail. Derrière le concept design, il n'y a rien d'autre que le « fun ». Empruntant leurs formes à différentes périodes, les designs sont métamorphosés en images amusantes qui nourrissent notre imaginaire.

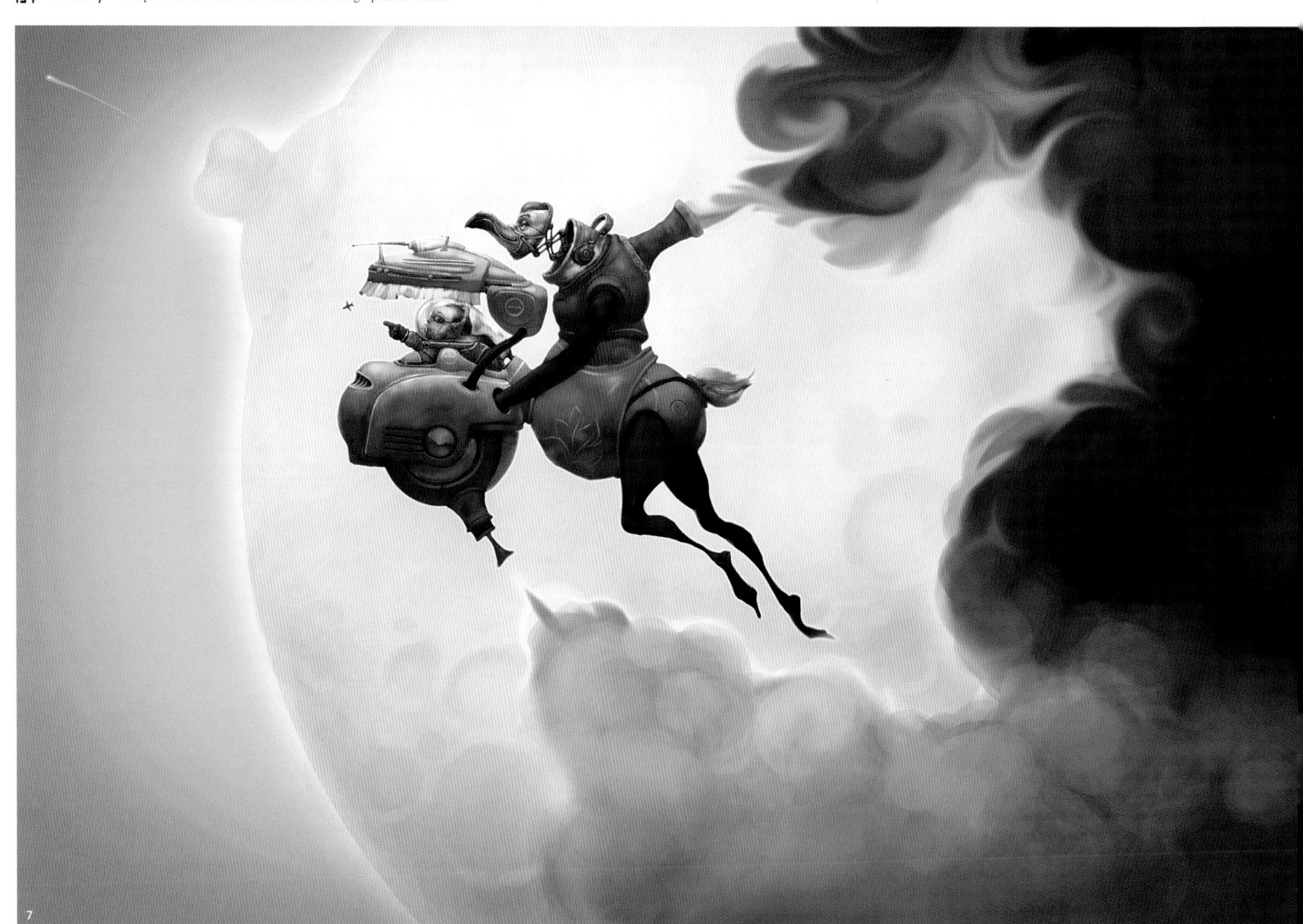

7

8

7 E.T.

8 Prêtre

9 Rencontre

***-- Mais alors, comment amorcer la réflexion sur un nouveau concept design ?***

-- D'habitude, quand je fais une pause après un travail fatiguant, j'aime bien gribouiller quelque chose ou m'évader dans mes rêves, histoire de me reposer un moment. J'ai gribouillé plein de notes sur ce que j'ai entendu, vu et ressenti. La plupart du temps, je réfléchis à comment incorporer ces idées imprécises dans mes créations.

***-- Aviez-vous un rêve particulier ? Et si oui, où en êtes-vous de sa réalisation ?***

-- Fabriquer une cabane en bois dans un arbre immense [rires]. Mais il semble que pour l'instant ce soit vraiment de l'ordre du rêve !

9

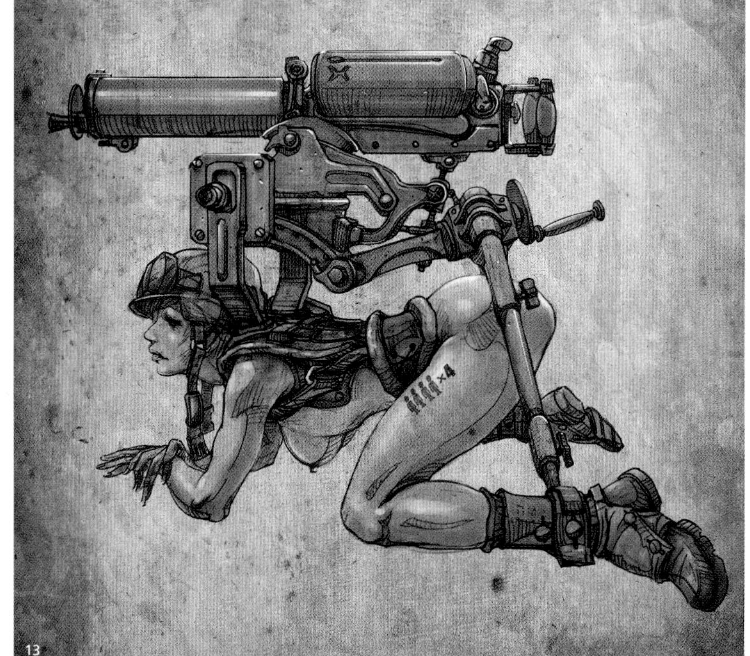


⑩ Personnage 1 (exercice)

⑪ Personnage 2 (exercice)

⑫ Personnage 3 (exercice)

⑬ Personnage 4 (exercice)

⑭ La bête

⑮ Garnison

14

15

16

17

18

⑯ Scénario 1 (exercice)
⑰ Scénario 2 (exercice)
⑱ Scénario 3 (exercice)
⑲ Robot domestique 1
⑳ Robot domestique 2
㉑ Robot domestique 3
㉒ Robot domestique 4

公安068
POLICE
068
POLICE
068
19
环卫10
10
20
办证
13724065381
21
牛奶
椰汁
22

Linning Wang (Apipe)

**Nom : Linning Wang (Apipe)**
**Profession : concept artist**
**Blog : http://apipe.blogbus.com**

# Gymnastique créatrice

## Un entretien exceptionnel avec Linning Wang, infographiste

Nous autres Chinois ne produisons que si rarement des idées neuves qu'on a l'impression qu'il faut mettre sur pied des sociétés spécialisées dans le concept pour corriger le tir. Depuis qu'il est rentré du Canada il y a un an, Linning Wang a pu constater la remarquable croissance de l'industrie chinoise du jeu vidéo, dont le marché se développe désormais au même rythme que celui de ses concurrents internationaux. Toutefois, pour reprendre ses propres termes, les sociétés de jeux vidéo chinoises « manquent de gymnastique créatrice ». À l'en croire, les infographistes chinois ont tendance à se replier sur eux-mêmes, réticents à sortir de leurs entreprises, sans même parler du cadre de la Chine.

Au cours de l'année écoulée, Wang, à son habitude, ne s'est pas séparé du carnet d'esquisses où il écrit ou crayonne les idées qui lui viennent. Bien sûr, les meilleures naissent de la passion, de l'enthousiasme et des expériences vécues, mais il faut aussi de l'audace pour les réaliser. Les idées créatrices sont aussi nécessaires pour arriver à de meilleurs produits que l'exercice physique pour rester en bonne santé. Il est grand temps de s'y mettre, quel que soit le résultat.

## Entretien

***-- À votre avis, d'où vient un bon concept de jeu ? Et qu'est-ce qui empêche l'émergence de nouvelles idées ?***

-- D'abord, les objectifs du P-DG d'une entreprise de jeux ont une importance capitale. Cherche-t-il un retour sur investissement à court terme ou à fabriquer les jeux les plus passionnants ? S'il est intelligent, il n'hésitera pas à investir dans de bons concepts. En général, ceux-ci viennent de professionnels avertis, enthousiastes et familiers de la plupart des jeux du marché, capables d'imaginer l'avenir de l'industrie et possédant de sérieuses compétences d'écriture et un solide esprit d'équipe. En fait, les exigences sont telles que je pense que nous n'avons qu'une poignée de candidats capables d'y répondre (pour faire simple, si un concepteur n'a joué à rien d'autre que des MMORPG, il sera tout à fait incapable de produire des concepts innovants). Mais, malheureusement, de tels professionnels sont indispensables, et c'est pour partie leur rareté qui empêche l'émergence de nouvelles idées.

***-- Il semble que certains de vos personnages ne soient pas très beaux. Comment cela se fait-il ? Et comment les concevez-vous ?***

-- En fait, dans le monde réel, tout le monde n'est pas beau, et la laideur est quelque chose de subjectif. Pour ma part, je n'aime pas les styles esthétisants japonais et coréens. C'est pour ça que je choisis de dessiner avec réalisme et que mes personnages sont plus souvent laids que beaux. Ce qui est vraiment important, ce sont les caractéristiques des personnages, comme les costumes, les armes et les cicatrices, ou leurs traits psychologiques, comme la persévérance, l'étrangeté, la lâcheté ou la générosité. J'essaie de mettre en relief leurs traits principaux en instillant des éléments similaires dans une série de dessins. Mais, dans une autre série, je les ferai volontairement différents des images précédentes pour faire ressortir leur unicité. Et c'est probablement ça qui explique pourquoi je préfère concevoir des personnages laids.

❶ Pharaonne 1 (esquisse)

2

3

❷ Trapèze volant

❸ Clown

❹ Pharaonne 2 (esquisse)

❺ Pharaonne 3 (esquisse)

***-- Le style euro-américain est plutôt réaliste. Est-ce que votre style actuel a un lien quelconque avec votre vie et votre travail au Canada ?***

-- Au Canada, j'ai plus accès aux traditions euro-américaines qu'en Chine. Comme je sais qu'il vaut mieux consacrer une minute à se préparer qu'une heure à réparer ses lacunes, je vais à la bibliothèque, où je passe à chaque fois trois ou quatre heures à lire et à faire des esquisses. Si je tombe sur des livres qui me plaisent particulièrement, je les emprunte pour les lire plus à fond.

4

❻ ❼ ShaShen

❽ Mage TG

❾ Guerrier TG

❿ Chasseur TG

11

12

⓫ ⓬ Flic

***-- Vous faites maintenant plus de dessins au trait que de dessins en couleur. Est-ce pour gagner du temps et produire plus ?***

-- À mon sens, même si l'esquisse a l'air un peu brute, cela n'a pas beaucoup d'importance, pour peu que la dernière ébauche soit nette et que l'impression générale soit positive. Malheureusement, on s'attend à ce que presque tous les dessins produits soient bien propres, ce qui fait que je dois tracer les traits dès l'esquisse, mais je ne le fais pas plus d'une fois, parce que plus je redessine, moins je sens. En outre, je laisse en général la mise en couleur aux spécialistes de la texture. En fait, nombre de mes créations sont en couleur, mais je trouve vraiment plus de plaisir au dessin au trait.

***-- Aviez-vous un rêve particulier ? Et si oui, où en êtes-vous de sa réalisation ?***

-- Je rêvais que l'espèce humaine disparaîtrait avec notre génération et que je pourrais voir le monde sans hommes. Et j'ai bien l'impression que mon rêve est près de se réaliser.

13

14

⓭ Ninja

⓮ Soldats

⓯ Ne pleure pas, mon bébé

⓰ Jetstrip

⓱ Cyberfille

⓲ Vieux fusil

15

16

17

18

Feng Wang (Haosha)

Nom : Feng Wang (Haosha)
Profession : concept artist chez Guangzhou NetEase
Blog : http://blog.sina.com.cn/haoshacg

# Dépasser les contes de fées

## Un entretien exceptionnel avec Feng Wang, concept artist

Feng Wang, dont le pseudo Internet est Haosha (littéralement « sable immense »), a quitté les contes de fées, dont ses dessins de mécanique offraient une vision nostalgique de la splendeur sur le déclin. Après avoir produit des vingtaines de « chapeaux » et de « masques », Wang a décidé de refermer le livre de contes et d'en rester là pour le moment. La publication de ses deux livres d'art, Le Royaume des chapeaux d'Haosha et Le Monde des masques d'Haosha, a complètement changé son avenir. Point culminant de ses années de dur labeur et de son complexe du conte de fées, ces ravissantes illustrations lui ont permis de se rendre compte qu'il a encore beaucoup de chemin à faire. C'est pourquoi l'année écoulée l'a vu se préparer à des créations plus « sophistiquées » loin de son style habituel. Il a été en outre chargé de la formation de nouveaux arrivants à rendre opérationnels au plus vite. Pour faire court, nous dirons qu'il commence à dépasser les contes de fées. Chacun de nous a au fond de son cœur un conte de fées. Nos rêves enchantés restent toujours vivaces, même quand nous grandissons, même si nous avons lu le conte jusqu'au bout.

## Entretien

***-- Avant, vos illustrations étaient rarement réalistes, mais maintenant elles le sont souvent. Quand avez-vous changé de style ? Et pourquoi ?***

-- Quand je faisais des concept designs pour Le Chapeau et Le Masque, je me suis trouvé faiblard dans le domaine réaliste, tout ce qui concerne le corps humain en mouvement, la description des muscles, la tension entre le réel et l'irréel. Voilà mon but pour l'année à venir, et ça m'aidera beaucoup dans mon développement personnel.

***-- Pouvez-vous nous en dire plus sur vos plans?***

-- J'en ai plein, comme Fishcg et Designs for Cube Toys. Je travaillais dessus avec passion, mais certaines de mes idées étaient extrêmement personnelles et d'autres pas assez développées pour en valoir la peine. En plus, mon emploi du temps est tellement chargé en ce moment que je les ai laissés de côté pour y revenir plus tard. Ces derniers temps, j'essaie de faire des recherches sur des concept designs de mécanique. De toute façon, il faut que je prépare suffisamment de manuscrits avant d'essayer de les faire publier.

❶ Masques

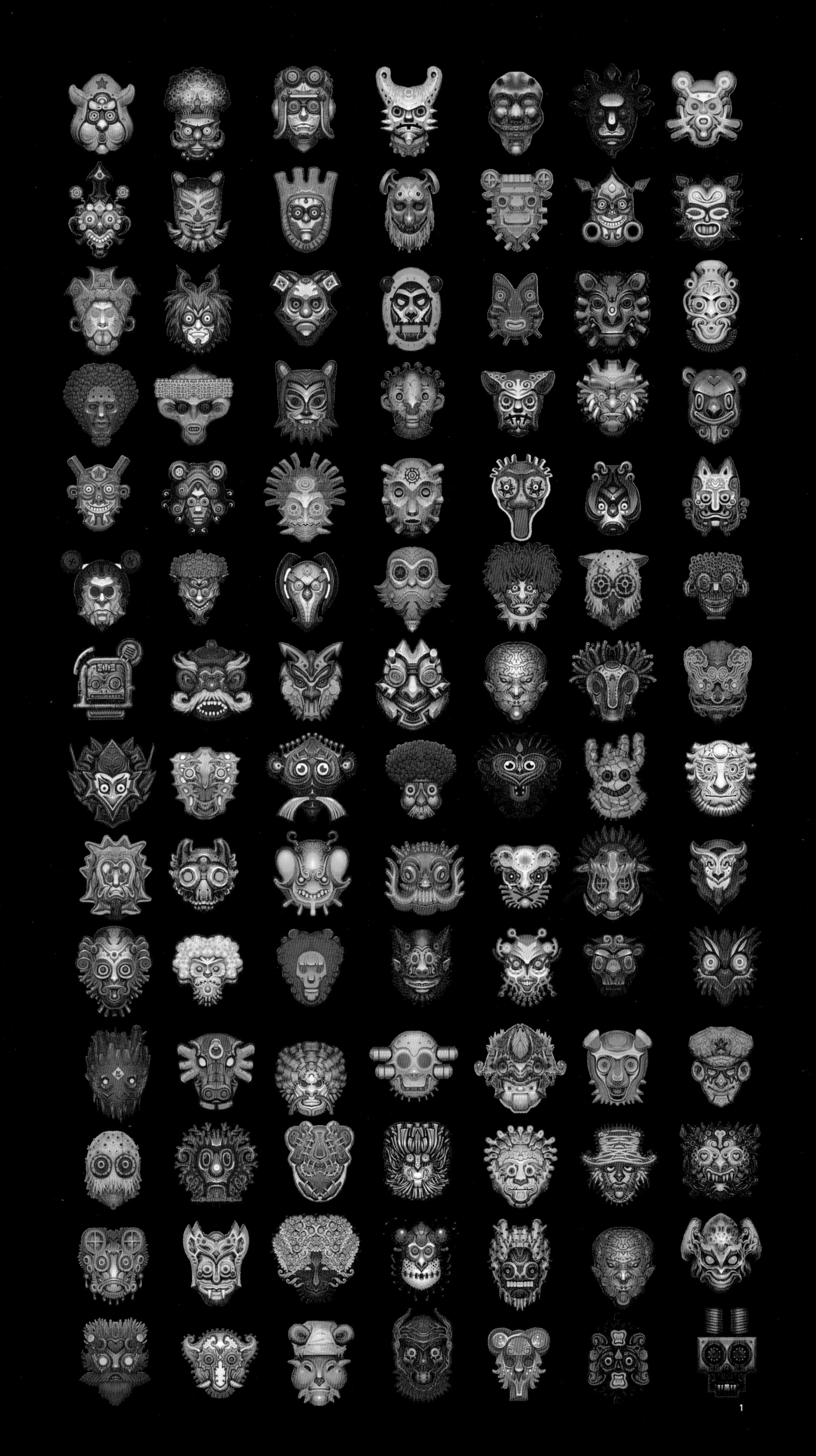

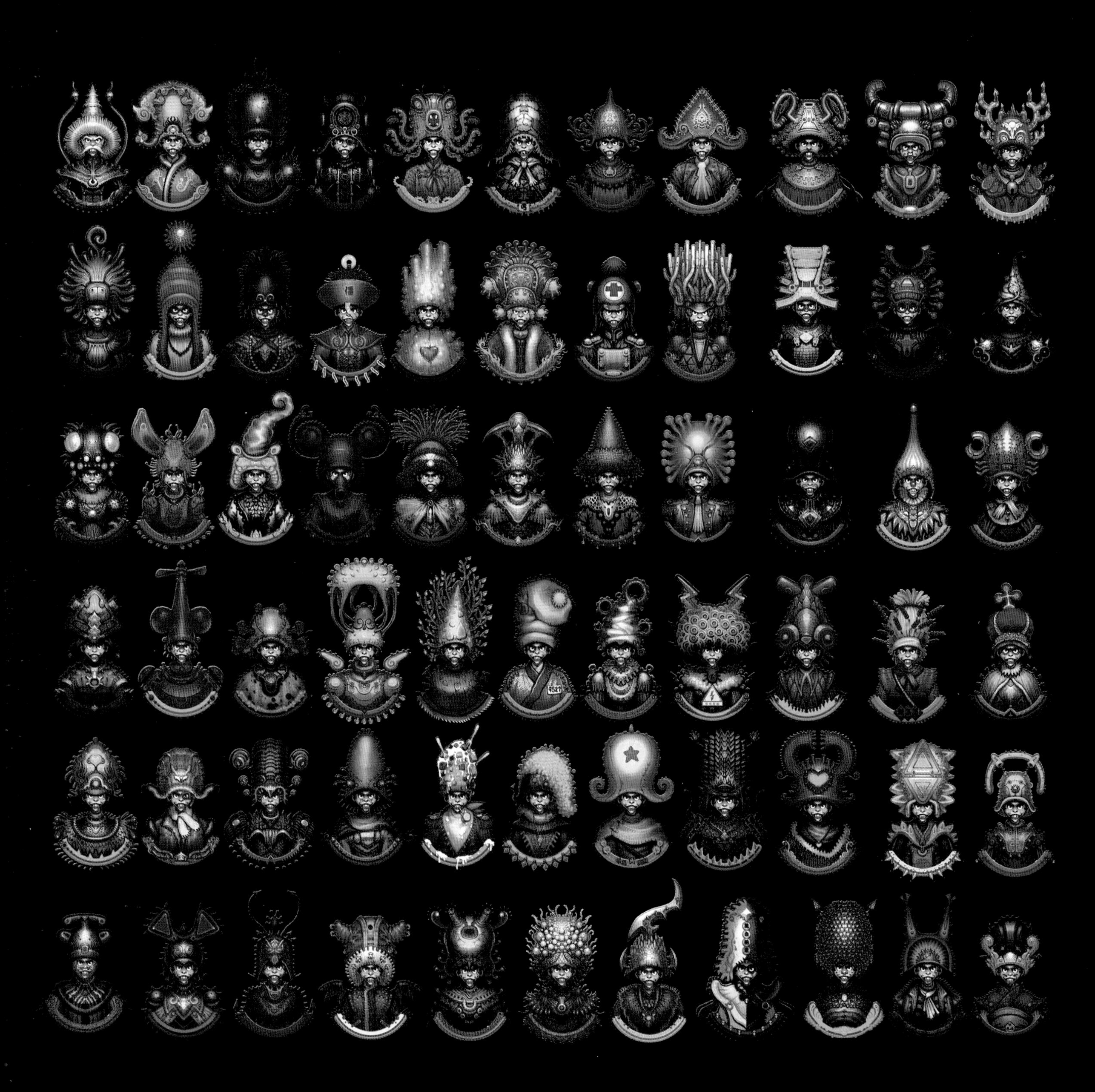

3

4

❷ Masques

❸ Le Guide

❹ Autoportrait

5

6

7

❺ Affiche pour chapeaux de masque

❻ La cabane imaginaire

❼ Le Guide (détail)

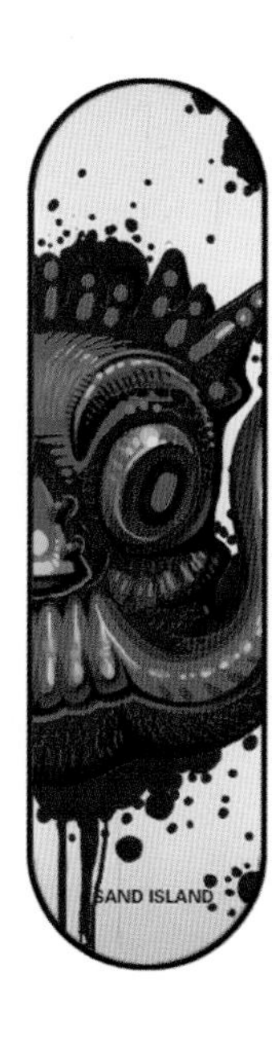


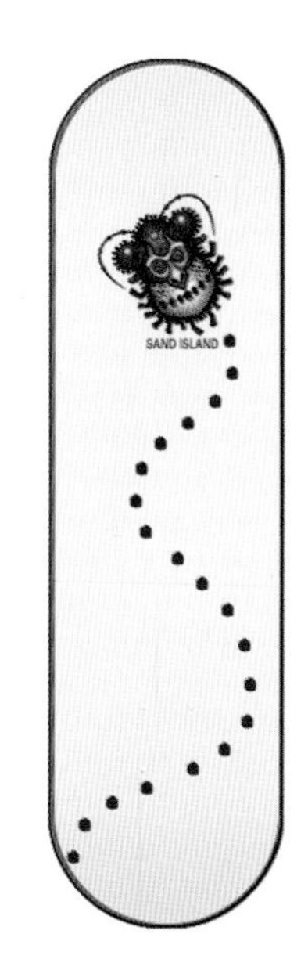

8

***-- Ce qui est impressionnant avec Le Chapeau et Le Masque, c'est la manière si particulière dont vous utilisez la couleur et la texture. Que pouvez-vous nous en dire ?***

-- J'utilise surtout le jaune moyen, le bleu vert et le rouge. Je n'emploie les couleurs pures que pour de petits espaces, afin que l'effet d'ensemble soit naturel et — pour utiliser un mot à la mode — harmonieux. J'aime bien aussi les tons jaune vert ; je m'en sers pour mes autoportraits. En ce qui concerne la texture, j'espère que les gens qui voient mes illustrations la ressentent immédiatement. Moi, je préfère les textures métalliques rugueuses et rouillées aux textures lisses.

❽ Skateboards

❾ Le petit dragon morose

9

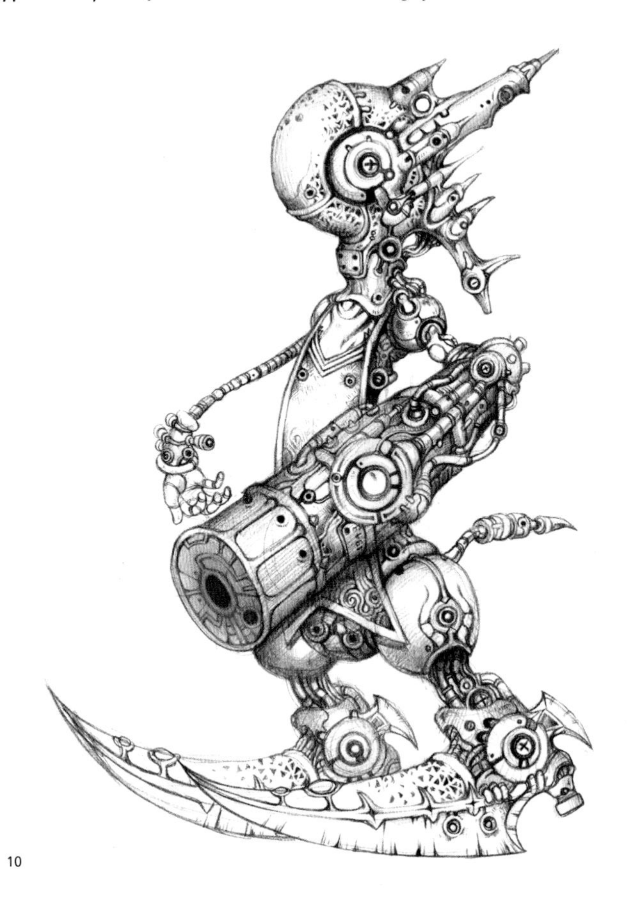

10

***-- Aviez-vous un rêve particulier ? Et si oui, où en êtes-vous de sa réalisation ?***

-- Je rêvais de fabriquer moi-même plein de personnages en bois ou de robots et de les garder avec moi dans mon bureau à la maison, que j'aurais décoré pour y créer une atmosphère de contes de fées et de science-fiction. Comme ça, en rentrant du travail, je me serais retiré dans un autre monde, jouets en fer-blanc et souvenirs m'aidant à fuir les tracas du monde réel. Mais pour l'instant je n'ai toujours pas trouvé les bons matériaux.

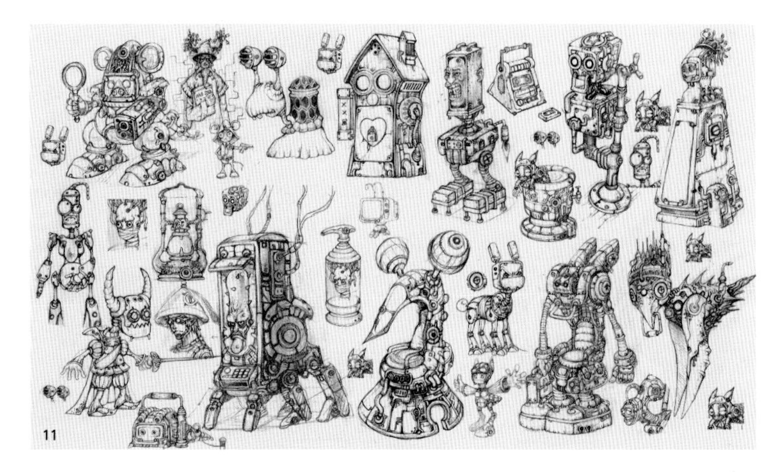

11

12

13

⑩ Armes

⑪ Ensembles de dessins conceptuels

⑫ Vaisseau aérien

⑬ Couvre-chefs (dessin au trait)

14

15

16

17

⓮ ⓯ ⓰ ⓱ Poisson (création)

Min Wang (Ahua)

Nom : Min Wang (Ahua)
Profession : fondateur et directeur de Huatin Concept Design Studio
Blog : http://blog.sina.com.cn/ahuaart

# Une vie belle comme une fleur

## Un entretien exceptionnel avec Min Wang, illustrateur indépendant

Min Wang a une philosophie de vie toute simple et il souhaite une vie magnifique à tout le monde. Mais contrairement à d'autres, il ne supporte pas d'avoir une vie tranquille. Son expérience professionnelle dans les domaines de l'animation, du jeu vidéo, du design, de l'édition, de la BD et de la vidéo lui fait un CV bien garni et permet au studio qu'il a créé récemment d'offrir toute sorte de services à ses clients locaux et étrangers.
Le sens de l'aventure et des responsabilités de Wang fait de son studio une entreprise où il fait bon travailler. Il sait qu'une vie univoque n'a aucun intérêt et a donc choisi de créer sa propre société plutôt que de s'accrocher à un boulot stable. Il sait aussi qu'une vie égoïste engendre la solitude et il met au point des programmes de formation pour faire avancer la profession, mais surtout pour rendre la vie belle aux gens qui sont autour de lui.

## Entretien

***-- Qu'est-ce qui vous a poussé à quitter la société de jeux vidéo pour laquelle vous travailliez pour créer votre propre entreprise ?***
-- Et bien, c'est une question de valeurs personnelles. J'aime l'aventure et la découverte. Pour moi, la variété est le sel de la vie. Je ne vivrais pas une vie qui me permet de tout voir d'avance : dans 20 ans, ma maison est payée; dans 50 ans, je touche ma retraite. Ce type d'existence n'a pas de sens pour moi, et je n'en veux pas. J'ai travaillé sept ans dans cette société, où j'avais un revenu élevé et stable et un poste de direction. Si j'étais resté, j'avais l'assurance d'une vie confortable. Mais j'ai plein de rêves et le courage de les vivre. D'où mon choix. Par chance, ma nouvelle carrière avance bien. Les choses sont parfois imprévisibles, mais c'est ça qui permet les miracles.

***-- Quel est d'après vous le plus intéressant de tous les projets sur lesquels votre studio a travaillé récemment ? Et celui qui a constitué le plus grand défi ?***
-- Certains concepts publicitaires et certaines animations du début me viennent à l'esprit. Ils constituent de bonnes illustrations de notre créativité ; c'est ce qui les rend très intéressants. Mais le plus important, c'est que nous formons une équipe heureuse et créative. Le plus grand défi était un projet sous-traité pour un pays étranger. Malgré la taille réduite de notre équipe et les délais serrés, nous avons réussi le « rêve impossible » en créant un plan de travail ingénieux et en assurant une charge de travail cinq fois plus élevée que d'habitude. Le fait que notre petite équipe ait pu faire mieux que les « grands » de l'industrie a donné de nous une image positive aux clients étrangers.

3

4

5

❷ Archère

❸ Le duc de Mapusaurus Roseae

❹ Hua Mulan

❺ Hiver

6

❻ À l'ouest

❼ Flic des étoiles

8

9

10

❽ Guerrier

❾ Étrangers 8

❿ L'affiche classique

⓫ Jumelles

***-- Pour vous, que doit faire une équipe qui débute pour entrer sur le marché et s'y faire une réputation ? Et comment pénètre-t-on le marché mondial ?***

-- Et bien [rires], je ne sais pas ! Nous-mêmes n'avons pas encore vraiment pénétré le marché mondial ni gagné la reconnaissance de tous nos clients potentiels. Nous commençons tout juste. Mais il y a une chose dont je suis sûr, c'est qu'il nous faut nous battre pour mener à bien avec succès tous les projets en cours, offrir les produits les plus satisfaisants possibles, étonner nos clients et leur en donner plus. Ce n'est que comme ça que nous nous ferons vraiment un nom et une réputation et que de meilleures opportunités se présenteront à nous.

Xiangjun Zhou (Foxliyue)

**Nom : Xiangjun Zhou (Foxliyue)**
**Profession : project artist chez Kingsoft Season Game Studio**

周湘君

# Le royaume de la guerre au studio comme dehors

## Un entretien exceptionnel avec Xiangjun Zhou, infographiste

Kingsoft Season Game Studio se concentre sur un thème éternel, le royaume de la guerre. Cela fait dix ans que ce studio de Zhuhai produit des sabreurs, des chevaliers montés, des galants et leurs romances, permettant à des millions de cosplayers de vivre leurs rêves. Kingsoft Studio, le meilleur et le plus productif des développeurs de jeux de costumes, a créé pour les joueurs chinois un royaume de la guerre enchanté. Et il faut bien dire que tous les membres de son équipe ont un cœur de « vrai guerrier ».
Il y a trois ans, j'ai chatté avec Foxliyue — c'est son pseudo Internet — sur le royaume de la guerre de Kingsoft, où il avait passé près de sept ans en tant que « guerrier ». Actuellement, il dirige une équipe de projet. Peut-être vous demandez-vous ce qu'il prépare. Que pourrait-il faire qui dépasse ses succès précédents ? Et à quoi ressemble après tant d'années son royaume de la guerre ?
Le monde change, mais il y a là quelque chose qui reste identique.

## Entretien

***-- Il y a trois ans, notre entretien avait surtout porté sur le « royaume de la guerre ». Poursuivons sur ce thème. Pensez-vous qu'il y ait encore la place en Chine pour de nouveaux jeux historiques ?***
-- Difficile à dire à l'heure actuelle. Malgré le nombre croissant de ces jeux-là, ils ont de plus en plus de fans, comme en Occident, où des millions de jeux de donjons et dragons ont envahi le marché. Après tout, les jeux sont faits pour les gamers, qui paient pour l'expérience attendue. Certains Occidentaux ont un « complexe du chevalier ». Les Chinois, eux, ont un « complexe du sabreur », ce qui n'a rien d'étonnant. C'est pourquoi de nouvelles versions font sans cesse leur apparition. En fait, une croissance accrue est parfaitement possible car le nombre de joueurs est très faible comparé à la population chinoise. Je dirais que la question n'est pas de savoir si nous continuons à faire les guerriers, mais comment nous nous débrouillons pour en créer d'uniques. Mais je veux travailler sur des thèmes différents, y compris nos jeux de science-fiction, parce que je ne pense pas que celle-ci doive rester l'apanage des Occidentaux.

❶ Pourriture avancée

2

3

4

***-- Nombre de vos œuvres sont des créations personnelles, pas des travaux réalisés pour le compte de l'entreprise. Pourquoi ?***

-- Tous mes travaux ne sont pas utilisés pour des projets du studio. Certains de ceux-ci impliquent des secrets de fabrication et les thèmes ne varient pas très souvent. J'ai besoin de renforcer mes aptitudes en travaillant sur des thèmes différents et en trouvant du temps pour dessiner ce qui m'intéresse. Ça m'a tellement apporté depuis l'enfance.

❷ Interface de lancement 2 pour The Legend of Swordman

❸ Wolong Bay

❹ Scénario de The Legend of Swordman

❺ L'avenir du chevalier

❻ Interface de lancement f pour The Legend of Swordman

7

8

❼ Interface de lancement pour The Legend of Swordman

❽ Adieu, la Terre

***-- C'est votre royaume de la guerre à vous, n'est-ce pas ?***

-- Et comment ! Avec chacune de leurs illustrations, les artistes se complaisent dans leur monde. La plupart ont une préférence pour leur jardin spirituel et ils y traînent à loisir, oubliant de rentrer chez eux. En fait, les gamers ont parfois la même impression. J'envisage de créer un jeu qui ressemblerait à ça : le décor est une métropole chinoise de l'avenir ; le Jugement dernier se rapproche ; tension et métal règnent partout. Rien que des pensées, pas d'action. En tout cas, je pense qu'un monde de ce genre doit être excitant et imprégné de culture orientale.

9

10

11

12

13

❾ Égorgeur

❿ Voleur de chevaux

⓫ Sniper

⓬ Guerrier

⓭ Guerrière

Fantasy+
*Les plus belles réalisations des artistes infographistes chinois*
**Auteur :** Vincent Zhao
**Rédacteurs du projet :** Guang Guo, Yvonne Zhao
**Traductrice pour l'édition française :** Pascal Tilche
**Relecteur :** Ghislaine Yang
**Design du livre :** Jing Yu



Première édition parue en Grande Bretagne en Mars 2009, CYPI PRESS.

**Adresse :** 79 College Road, Harrow Middlesex, Greater Londres, HA1 1BD, GB
**Tel :** +44 (0)20 3178 7279
**Fax :** +44 (0)20 3002 4648
**E-mail :** sales@cypi.net editor@cypi.net
**Site web :** www.cypi.co.uk
**ISBN :** 978-0-9560453-6-2

Imprimé en Chine